Michel Chevrier

D0320473

Connaître
et cuisiner les
fines herbes

QUÉBEC
LOISIRS

Connaître et cuisiner les fines herbes

Édition spéciale QUÉBEC LOISIRS ULC.
www.quebecloisirs.com

Édition abrégée du *Grand livre des fines herbes,* publié originalement
par Guy Saint-Jean Éditeur.

Dépôt légal – Bibliothèque et Archives nationales du Québec,
Bibliothèque et Archives Canada, 2015

ISBN QL : 978-2-89666-384-2

Publié précédemment sous les ISBN : 2-920340-30-1
et 978-2-89455-281-0

Imprimé au Canada

Connaître
et cuisiner les
fines herbes

à mes sœurs Louise et Diane,
comme un gros merci

Table des matières

Avant-propos

L'ESPRIT DES HERBES

Comme on le verra, dans les pages qui suivent, l'histoire des fines herbes a de tout temps été liée à celles de la magie et de l'alimentation puis, plus tard, avec l'évolution de l'homme, à celles des mythologies et des religions, de la médecine, de la botanique, bien sûr, et de la gastronomie. Cette évolution ne s'est pas faite en un jour, ni même en un siècle. En fait, elle couvre toute l'histoire de l'homme, correspondant aux temps forts et faibles de cette histoire (par exemple, les conquêtes d'Alexandre le Grand, la chute de l'Empire romain, les Croisades, la découverte des Amériques, etc.).

Les fines herbes, si longtemps les auxiliaires précieuses de l'homme, retrouveront-elles un jour leur rôle ? Qui sait ? Mais en notre époque de *fast food* et, qu'on me passe l'expression, de *quick drugs,* mais aussi, bien sûr, d'indéniables et foudroyants progrès dans nombre de domaines, il était peut-être bon de rappeler le rôle si longtemps essentiel de ces plantes. N'était-il pas déjà écrit dans la Bible : « Le Seigneur a fait produire à la terre des médicaments. L'homme sensé ne les dédaignera pas. »

Ce livre s'adresse à tous ceux que passionnent le jardinage, la gastronomie et, à un degré moindre, une médecine préventive simple mais efficace. J'ai tenté, du mieux que j'ai pu, de leur communiquer un peu de l'Esprit des Herbes, puisqu'une herbe, toute herbe, c'est avant tout un corps végétal vivant, captant et synthétisant en lui, de toutes ses forces, par de délicats et savants calculs, pour nous les offrir ensuite, les esprits de la terre et des astres, sans qu'on puisse jamais expliquer, ni comment, ni pourquoi. J'ignore si j'ai, dans cet ambitieux dessein, réussi. Je sais, en tout cas, la leçon de civilisation et d'humilité que j'en ai reçue.

Une petite histoire des fines herbes

Les deux sources principales auxquelles j'ai puisé sont : *Le livre des épices, condiments et aromates*, de Louis Lagriffe, Marabout, 1968, et *L'office et la bouche, Histoire des mœurs de la table en France, 1300-1789*, de Barbara Ketcham Wheaton, Calmann-Lévy, 1984. La première est, dans le texte, indiquée par (1), la seconde, par (2). Les autres auteurs sont nommés et on trouvera les références de leurs œuvres dans la Bibliographie donnée en fin de volume.

LA PRÉHISTOIRE

C'est autour du quatrième millénaire av. J.-C. qu'on évalue les débuts de l'agriculture et de la sédentarisation de l'homme, en un mot, de la civilisation. Selon les hypothèses, et des vestiges trouvés dans les palafittes (maisons sur pilotis) des lacs suisses, nos ancêtres se nourrissaient de viandes grillées (depuis qu'ils avaient acquis la maîtrise du feu), de racines (carottes et panais), de bouillies de céréales fermentées et de « plats d'épinards », c'est-à-dire de légumes-feuilles cuits dans l'eau. Parmi les condiments et aromates utilisés, il y avait, outre le sel, l'ail, le carvi, le fenouil et le cerfeuil. On n'a, sur cette époque, que peu d'informations mais il ne fait aucun doute que les herbes, d'abord ramassées à l'état sauvage, puis cultivées, étaient déjà utilisées à des fins magico-religieuses et médicinales. On peut aussi supposer que c'est plus par nécessité que curiosité que les premiers hommes cherchèrent des nourritures nouvelles dans les plantes et le payèrent souvent de leur vie, quand ils rencontrèrent des plantes mortelles comme la ciguë ou l'amanite phalloïde. C'est vers la même époque, croit-on, probablement par hasard, que furent inventées les premières boissons alcoolisées à base de raisin et d'autres plantes.

LA BABYLONIE

Connue par les témoignages que nous en ont laissés les historiens grecs (Hérodote, Xénophon), la Babylonie est le premier empire qui nous ait laissé des prescriptions médicinales à base de carvi, de fenouil et de menthe. On sait aussi que, dans les incantations contre les mauvais esprits responsables des maladies, on se servait d'herbes et de bois odoriférants. Par ailleurs, on n'a que peu d'informations sur l'alimentation des Babyloniens. On sait seulement qu'ils utilisaient le basilic et le thym pour farcir les viandes grillées et que, dans les jardins de Babylone, on cultivait aussi le fenouil, l'hysope et la menthe. Les grands rois de l'époque, Nabuchodonosor et Balthazar, donnèrent de somptueux festins où les plantes aromatiques jouaient sans aucun doute un grand rôle.

L'INDE ET LA CHINE

Les Hindoux se servaient déjà de la plupart des herbes aromatiques connues aujourd'hui. À part le basilic, la coriandre et l'origan qui étaient consacrés aux Dieux, ils cultivaient l'ail, l'aneth, l'anis, etc. Toutefois, parce qu'elle a toujours fait appel aux épices fortes (principalement à cause du climat et parce qu'elles aident à la conservation des viandes), leur gastronomie n'a eu, sur la gastronomie occidentale, que peu d'influence. Toute leur médecine était à base de plantes aromatiques et autres.

Les Chinois utilisaient, eux, médicinalement et culinairement, l'aneth, l'anis, l'estragon, le fenouil et surtout l'ail.

LA PERSE

On n'a que peu de données sur la médecine et la gastronomie des Perses. Toutefois, on sait qu'ils connaissaient l'ail et la plupart des fines herbes. Hérodote rapporte que les jeunes vierges destinées au harem d'Assuérus devaient préalablement se purifier, six mois durant, avec de la myrrhe, de l'hysope et de l'aneth. Enfin, raconte Louis Lagriffe : « Les grands rois perses : Cyrus, Assuérus, Xerxès furent probablement les premiers vrais gastronomes, donnant de nombreux et somptueux festins, au cours desquels ils ne manquaient pas de récompenser les cuisiniers qui avaient inventé un plat nouveau, fortement épicé cela va de soi, et lorsque le grand Alexandre entra dans le palais de Darius vaincu, il y trouva 277 cuisiniers et de nombreux esclaves préposés aux épices et aux aromates de toutes sortes. »

L'ÉGYPTE

Si nous avons peu d'informations sur la gastronomie des anciens Égyptiens, en revanche nous savons que ce sont eux qui inventèrent les vins et les vinaigres aromatisés, la bière (dont une à base de marjolaine, de menthe et de persil) mais surtout, des parfums et des compositions médicinales obtenus par extraction des essences de nombreuses plantes odoriférantes. Ces compositions médicinales, à base d'essences d'anis, d'hysope, de marjolaine, etc., étaient administrées, soit en fumigations, soit autrement.

Les Égyptiens utilisèrent aussi les plantes pour l'embaumement de leurs morts et furent ainsi les premiers à découvrir les qualités antiseptiques puissantes d'herbes et d'épices comme le thym, la sauge, le romarin, la cannelle et le clou de girofle. Leurs plantes sacrées étaient le basilic, la marjolaine et le marrube, chacune d'elles consacrée à un dieu différent.

LES HÉBREUX

Quoique la Bible soit pleine de citations relatives aux plantes, dans l'*Ecclésiastique* surtout, on ne doit aux Hébreux que les premières règles connues de civilité gastronomique et d'hygiène. S'ils appréciaient beaucoup l'ail, ils utilisaient autant médicinalement que culinairement le basilic, la coriandre, l'aneth, l'origan, la menthe, le thym, le romarin et le fenouil. Deux plantes étaient particulièrement à l'honneur chez les Hébreux, l'hysope et le marrube dont les noms sont, d'ailleurs, d'origine hébraïque.

LA GRÈCE ANTIQUE

Si c'est aux Égyptiens que revient l'honneur d'avoir créé les essences et les parfums, c'est aux Grecs que revient celui d'avoir inventé la gastronomie telle que nous la connaissons aujourd'hui. En effet, à la suite des conquêtes d'Alexandre le Grand et des voyages entrepris par de nombreux écrivains grecs à la fois botanistes, philosophes, médecins et gastronomes, les chefs cuisiniers d'Athènes, influencés par les gastronomies étrangères et pourvus de produits exotiques nouveaux, tels le basilic et les épices, créèrent la plupart des principes culinaires de base. À noter qu'ils avaient déjà à leur portée les fines herbes suivantes, indigènes à la Grèce, soit : l'hysope, la marjolaine, la menthe, l'origan, la sauge,

11

le thym, etc. Rivalisant d'adresse, nombre de ces maîtres-queux acquirent ainsi gloire et fortune.

Toutefois, malheureusement pour nous, tous les écrits des chefs cuisiniers grecs furent perdus dans l'incendie de la bibliothèque d'Alexandrie au 7e siècle et c'est uniquement par d'autres écrivains que nous pouvons avoir une idée de leur talent. À cette époque, « les repas, dans les classes nobles et aisées, étaient compliqués et nombreux. Ils étaient précédés d'ablutions de parfums composés de fenouil, de thym et de menthe et pour les terminer, les buveurs grecs se couronnaient de violettes, de persil et d'hysope destinés à combattre leur ébriété[1] ». Théophraste lui-même, le père de la botanique, ne dédaignait pas l'« art » gastronomique aux chefs-d'œuvre si fugaces ; ne prescrivait-il pas d'envelopper les poissons, avant de les cuire, dans des feuilles d'origan et de fenouil puis de les servir avec des sauces à base d'ail, d'oignons et d'autres condiments ?

Parallèlement à l'évolution de la gastronomie, la médecine fit, elle aussi, des pas de géant, d'abord avec Asclépios mais surtout avec Hippocrate, le père de la médecine moderne qui vécut, lui, 400 ans av. J.-C. Celui-ci se servait d'environ 400 médicaments, la plupart d'origine végétale, et ses indications, pour empiriques qu'elles fussent, étaient d'une justesse étonnante.

Enfin, pour les Grecs, les herbes étaient partie intégrante des fêtes et des banquets, des cérémonies religieuses et enfin des Jeux olympiques où les vainqueurs avaient l'honneur d'avoir leur tête ceinte d'une couronne… de persil.

LA ROME ANTIQUE

Peuple d'une sobriété exemplaire pendant six siècles et dont l'alimentation était à base d'un brouet de blé pilé et de quelques légumes, dont le si précieux chou, ce n'est qu'après leurs conquêtes, en particulier celle de la Grèce, que les Romains changèrent du tout au tout. Séduits par les mœurs de ce pays dont les bleus du ciel sont les plus beaux du monde, ils ramenèrent chez eux en esclavage les chefs cuisiniers grecs et ce sont eux, en fin de compte, qui créèrent la gastronomie romaine.

Pourvus de produits rares venus de tous les coins du monde, usant d'une imagination sans bornes, sans doute pour mieux séduire leurs maîtres et s'attirer ainsi leurs faveurs, ils poussèrent l'art gastronomique vers des sommets inégalés. Les chroniqueurs gastronomiques de l'époque, Apicius et Lucullus en tête, nous ont laissé des recettes et des menus de banquets dont l'inouïe complexité et le raffinement donnent à rêver… et à penser. Imaginez un repas où l'on vous sert, le tout accompagné de sauces diverses et élaborées, des cigales, de l'autruche, des œufs de tortue, du sanglier d'Asie, des yeux de rhinocéros et… des langues de colibri !

Les excès culinaires devinrent, avec le temps, tels que certains empereurs tentèrent, par des édits, de les contenir. En vain. Leurs lois furent « vite abolies par le mépris » comme furent tournés en ridicule ceux qui s'élevaient contre cette corruption des mœurs ou tentèrent de créer une « cuisine nouvelle » sans artifices et sans plantes aromatiques. C'est fort probable. Quoi qu'il en soit, la gastronomie des Romains devait avoir une influence considérable sur tous les peuples par eux conquis, en particulier sur un pays aux mœurs simples, pour ne pas dire rudimentaires, la Gaule, où devait naître, plusieurs siècles plus tard, la gastronomie.

Quant à la médecine romaine, calquée sur la grecque, elle ne fit que peu de progrès et si les fines herbes, après avoir servi d'offrandes aux Dieux, contribuèrent à la grande débauche gastronomique, elles furent aussi utilisées, le basilic, l'hysope, le romarin, entre autres, pour combattre les grandes épidémies de peste. Elles rendirent aussi célèbre un certain Cosmus, créateur de la cosmétique, et qui inventa plus de vingt recettes d'onguents, crèmes, etc., à base d'herbes comme la marjolaine, le thym et le romarin.

UN « PETIT CREUX » HISTORIQUE : BYZANCE

Après les triomphes, puis les excès sans nombre, puis la chute de l'Empire romain et le transfert de la capitale à Byzance, l'évolution de la gastronomie ralentit considérablement. En fait, elle ne retrouvera sa flamboyance qu'au 17e siècle, en France. Connaissant une période de paix jusqu'aux grands déferlements des Barbares, les Byzantins reprirent les usages romains.

En médecine et en botanique, les Byzantins poursuivirent des études sérieuses et rationalisèrent l'utilisation de plantes à la fois culinaires et médicinales, comme le basilic, le carvi, l'hysope, le persil mais surtout l'estragon, originaire de la Sibérie et décrit pour la première fois par un auteur byzantin du 11e siècle et considéré aujourd'hui par de nombreux gastronomes comme l'herbe fine par excellence. Toutefois, peu de médecins byzantins atteignirent la célébrité d'un Hippocrate ou d'un Galien.

LES ARABES

Ce sont les Arabes qui firent découvrir à l'Occident des produits aussi merveilleux que l'orange (amère) et le citron, le café, la banane, les dattes, le sucre de canne, mais surtout les épices. En effet, grands voyageurs, grands conquérants, à la fois d'une érudition, d'une curiosité et d'une audace sans bornes, ce sont les Arabes qui les premiers, bien avant Marco Polo, atteignirent la Chine, prenant du même coup le contrôle absolu des mers baignant tout le territoire qui va de ce pays jusqu'à l'Inde, en passant par l'archipel indonésien et le Ceylan (Sri Lanka), et d'où proviennent toujours la plupart des épices : le poivre, le clou de girofle, la cannelle, la muscade, etc.

Il paraît peut-être superflu de parler ici des épices, mais quand on sait le rôle joué par ces dernières dans l'Histoire, on ne peut qu'être émerveillés. Émerveillés du flair des Arabes qui, en partie grâce aux monceaux d'or que leur rapportèrent les épices, devinrent si puissants qu'ils purent créer un empire immense et, sans le savoir, contribuèrent à la découverte des Amériques où devaient, à leur tour, être découverts nombre d'autres produits comme le chocolat, la vanille, le tabac, le caoutchouc, le maïs, les piments et les poivrons, la tomate, le haricot et… la simple pomme de terre. Car ce que cherchaient avant tout les navigateurs italiens, espagnols et portugais de la Renaissance, ce n'était certes pas des « âmes à convertir », mais bien la route des épices alors rares et aussi estimées que l'or.

Plus éclatants encore, plus profitables aussi, en termes de civilisation, furent les succès qu'obtinrent les Arabes en médecine. Reprenant le flambeau de la connaissance médicale grecque, ils portèrent celle-ci à un degré nouveau de perfection et leur influence, parallèlement à celle des écrits grecs par eux traduits, fut considérable sur les travaux des moines-médecins du

Moyen Âge. Comme l'écrit Louis Lagriffe, «tous les aromates connus étaient également utilisés par leurs médecins qui imitèrent en cela les médecins de l'Antiquité dont la pharmacopée était presque toute à base des plantes aromatiques du bassin de la Méditerranée».

AU PAYS D'OBÉLIX : LA GAULE

Quoique nous n'ayons pratiquement, sur nos ancêtres lointains, aucune information, les Romains ayant, lors de la conquête de la Gaule, avec leur politique de la «terre brûlée», tout détruit sur leur passage, un document antérieur à cette invasion et dû à la plume de Posidonius se révèle fort instructif : «Leur manger consiste en un peu de pain et beaucoup de viandes bouillies ou rôties à la broche ; ils y mordent comme des fous, saisissant des membres entiers dans leurs mains ; près des fleuves, on consomme beaucoup de poissons grillés, salés et aspergés de vinaigre, l'huile est rare ou peu connue.» C'est un témoignage à prendre, comme tous ceux du genre, avec «un grain de sel».

Si avant l'arrivée fracassante des Romains, on estime que les Gaulois, chasseurs et cueilleurs avant tout, se nourrissaient de «glands, de baies, de racines, de bulbes et de feuilles vertes des plantes encore sauvages[1]» et qu'ils n'apprirent que lentement à cultiver des légumes comme l'oignon, le panais et la carotte qu'ils assaisonnaient de carvi, de coriandre, de fenouil et de livèche (alors que leurs Druides usaient magiquement du chêne, du gui et de la sauge), après la conquête, les mœurs des Gaulois, devenus Gallo-Romains, commencèrent à se raffiner un peu. Grâce aux Romains, ils connurent le poivre et la cannelle de même que l'hysope et le thym, herbes plus méridionales.

Cependant, les pauvres Gallo-Romains n'étaient pas au bout de leurs peines puisqu'ils devaient être encore envahis à plusieurs reprises, par les Huns et les Goths puis, enfin, aux 5e et 6e siècles, les Francs, une peuplade germanique plus évoluée qu'eux, et qui devait donner son nom à la France.

Comme l'écrit Louis Lagriffe : «Après ces Francs, gros mangeurs, gros buveurs (et déjà producteurs de vins), comment nous, leurs héritiers, aurions-nous pu ne pas être appelés à devenir les maîtres de la gastronomie ?»

LE MOYEN ÂGE : L'AIGRE ET L'AMER

Trois faits historiques datant du Moyen Âge contribueront, selon Barbara Ketcham Wheaton, de 1450 à 1650, à la naissance de la gastronomie. Ce sont : 1. L'invention allemande de l'imprimerie, qui permettra la diffusion des écrits grecs et romains antiques sur la gastronomie et l'agriculture puis des premiers livres de cuisine ; 2. L'intérêt nouveau porté par les classes nobles et bourgeoises à leur alimentation ; 3. L'avènement du repas en tant que cérémonie de cour.

Plus décisive encore sera, au Moyen Âge proprement dit, l'influence des Croisés qui, de retour de Terre Sainte, se seront frottés aux mœurs gastronomiques arabes. C'est que, croit-on, les Médiévaux, presque plus soucieux de l'apparence que du goût des plats, ne savent pas encore maîtriser le dosage des herbes et des produits nouvellement introduits comme les épices et le sucre de canne, ce dernier ayant d'abord été utilisé comme substance médicinale et aphrodisiaque.

Ainsi leur cuisine se caractérise-t-elle par l'aigre et l'amer. S'ils utilisent souvent, pour « verdir » une sauce ou un plat (voir Recettes du Moyen Âge, dans l'Index des recettes), la ciboulette, la livèche, les menthes, le persil, la sauge et le serpolet, ils emploient aussi des herbes amères comme les feuilles de coriandre, l'hysope, l'absinthe et la rue, ces deux dernières étant toxiques. La sauce verte, à base de « vert jus », d'ail, d'oignons, d'échalotes et aromatisée de menthe, serpolet et roquette, sera, servie « avec testes de mouton, bonnes hastilles (boudins) à la moustarde et beaulx tribars (?) aux ails », l'une des favorites de Rabelais. Le « vert jus » n'est autre que du jus de raisin non mûr ou de pommes sauvages, fermenté ou non fermenté, et d'une aigreur sans nom. Ces sauces servent à aromatiser les viandes servies lors de festins où tout est lourd cérémonial et hiérarchie, sur une tranche de pain rectangulaire (appelée « pain-tranchoir »), et qu'on mange, armés de couteaux et de cuillères.

Lors des festins, le repas comme tel n'est qu'une étape parmi une succession d'événements – concerts, pièces de théâtre, danses, etc. qui « concrétisent les idéaux esthétiques et sociaux[2] » et où les puissants et les riches font étalage d'objets de luxe comme somptueux costumes, étoffes précieuses, tapisseries, vaisselle d'or, etc. Le mauvais goût n'est pas absent, comme lorsqu'on présente des paons et des cygnes dressés comme s'ils étaient vivants. Comme l'écrit madame Ketcham Wheaton : « Il y a aujourd'hui de si nombreuses étapes entre les animaux que nous voyons à l'état naturel et la viande que nous mangeons que nous ne sommes pas préparés à nous voir rappeler de façon aussi brutale que ces animaux doivent être tués pour satisfaire notre gourmandise » et d'ajouter, détail souvent passé sous silence par les auteurs, « Les festins médiévaux sont fréquemment marqués par la ségrégation des sexes et les femmes sont plus souvent simples spectatrices. »

Il ne faut pas non plus se leurrer : malgré une évolution sociale et culturelle marquée, les festins médiévaux sont réservés à une élite et, jusqu'à la Révolution française, et même après, le « petit peuple », c'est-à-dire la majorité, connaîtra la faim et souffrira de malnutrition chronique, sans parler des périodes de famine dues aux guerres sans nombre ou aux rigueurs d'hivers trop froids. Mentionnons aussi que, pendant longtemps encore, l'hygiène culinaire sera inexistante et contribuera, avec la malpropreté générale (pollution, soins du corps superficiels, si existants, etc.), à l'éclosion et la propagation des grandes épidémies de peste où sera engloutie une partie importante de la population européenne (jusqu'à 50 %, selon certains auteurs).

C'est ici que les fines herbes retrouveront le rôle qu'elles avaient joué chez les Romains. On se servira d'elles – marjolaine, hysope, etc. –, en fumigations, et autrement, pour se prémunir contre la peste et le choléra. On les utilisera à d'autres fins médicinales, en partie grâce aux moines qui, en même temps qu'ils traduisent les auteurs grecs et latins que leur ont fait connaître les Arabes, les cultivent dans leurs jardins de « simples », préparant la voie à la tradition, toujours vivante, des eaux médicinales et des liqueurs digestives comme l'Eau de Mélisse des Carmes, la Grande Chartreuse, la Vieille Cure, la Bénédictine, etc., où entrent un nombre impressionnant d'herbes aromatiques.

LE 16ᵉ SIÈCLE : UN AMOUR DE SUCRE

Vers la fin du Moyen Âge, la cuisine française dont on a gardé trace ressemble à s'y méprendre à celle des autres pays d'Europe. Il s'agit essentiellement d'une cuisine internationale dont les centres de gravité sont les diverses cours du vieux continent[2] ». Pour l'essentiel, donc, la cuisine de cette époque restera médiévale, à part quelques raffinements dont il n'est pas inutile de parler.

Si le Moyen Âge était caractérisé par le festin, le 16ᵉ siècle le sera par la « collation » où la « plupart des plats sont froids et (où) les saveurs sucrées dominent[2] ». Par ailleurs, dans le programme des réjouissances encadrant le repas, les thèmes des mythologies grecques et romaines, peuplées d'Amours, de Nymphes et de Satyres, remplacent ceux, religieux ou politiques mais toujours « lourds » de sens des allégories médiévales et, lors des repas, « on loue (ainsi) surtout la rareté et la finesse de la chère, alors qu'au 15ᵉ siècle l'abondance était la qualité la plus désirable[2] ». C'est aussi à partir de ce temps que commence la querelle, qui dure toujours, entre les tenants d'une cuisine « naturelle » (dite « nouvelle ») où le goût de chacun des aliments doit être respecté, et les tenants d'une cuisine qui les amalgame pour créer des saveurs nouvelles… dont la sucrée.

Le 16ᵉ siècle sera, à cause de l'influence arabe du Moyen Âge, celui de la confiserie. On y apprendra à travailler le sucre, toujours très coûteux, et créera diverses friandises comme des dragées au gingembre ou des pastilles à la menthe, au citron et à la vanille, ces dernières employées comme aphrodisiaques (en cuisine, l'estragon et la sarriette le seront aussi à cette fin). Très à la mode aussi seront les graines d'anis, de coriandre et de fenouil enrobées de sucre et utilisées pour rafraîchir l'haleine après un repas fortement aillé. Ce sera aussi l'apparition des premières eaux-de-vie et liqueurs (Eau d'or, Populo, etc.) qui sortent ainsi des officines des « apotécaires et espiciers » devenus, depuis 1353, grâce à l'importance du commerce des épices et autres produits nouveaux, une très puissante corporation, « occupant le deuxième rang parmi les "six corps marchands"[1] ».

Alors qu'aucun livre de cuisine ne paraît en France au 16e siècle, on se contente de réimprimer, en les défigurant souvent, les livres du Moyen Âge. En revanche, d'autres auteurs, tous gastronomes, nous laissent, concernant divers domaines, qui souvent s'interpénètrent (c'est l'une des caractéristiques de l'Humanisme), des œuvres importantes.

À tout seigneur, tout honneur, c'est d'abord Rabelais, l'«immense» humaniste, créateur des personnages extraordinaires de Gargantua, fils de Gargamelle et Grandgousier, de Messire Gaster, etc., et dont la joyeuse philosophie se résume en trois mots: «Trink! Trink! Trink!» «Bois! Bois! Bois!»). Il parle, bien sûr, de la connaissance qu'il faut acquérir sans cesse.

C'est ensuite Nostradamus qui publie, en 1555, un livre au titre interminable dont la première partie traite de la fabrication des parfums et des cosmétiques, et la seconde, de la «manière de faire toutes confitures liquides tant en sucre, miel qu'en vin cuit». Il s'était, lui aussi, mis au «goût» du jour. (On peut imaginer un chef confiseur créant un Amour décochant des flèches… de sucre!)

Enfin, c'est Olivier de Serres qui, avec son *Théâtre d'agriculture* (1600), donne le premier livre français d'agriculture et d'horticulture, allant même jusqu'à établir la distinction entre les jardins fruitier, potager, médicinal et «bouquetier».

C'est aussi au 16e siècle qu'on assiste à l'apparition des premiers restaurateurs-traiteurs (qui ne deviendront importants qu'après la Révolution) et à la création des premiers jardins botaniques, en Italie d'abord, puis, vers 1580, avec le jardin des simples, à Paris.

Enfin, c'est lors de cette période qu'apparaîtront nombre de légumes nouveaux comme l'artichaut, le chou-fleur, le cardon, le concombre et le topinambour (découvert en Amérique du Nord par Samuel de Champlain). Beaucoup de ces légumes auront été créés, à partir des variétés sauvages, par les jardiniers italiens. C'est ainsi que l'on croit que le cantaloup aurait été créé à la villa papale de Cantalupo, d'où le nom du fruit. Introduite vers la même époque d'Amérique du Sud, la pomme de terre ne s'imposera, malgré les efforts ultérieurs de Parmentier, que beaucoup plus tard. On aurait peut-être pu, grâce à elle, fournir une nourriture de culture facile au «peuple» et ainsi, qui sait, éviter la Révolution?

Introduite vers le même temps, la tomate, considérée comme vénéneuse, ne sera d'abord cultivée que comme plante ornementale.

LE 17e SIÈCLE: LA NAISSANCE DE LA GASTRONOMIE MODERNE

La meilleure façon de se faire une idée de la gastronomie du 17e siècle, un siècle tout de contradictions, c'est d'abord par les œuvres culinaires publiées à l'époque. Parmi celles-ci, mentionnons d'abord un livre publié en 1604, à Liège, l'*Ouverture de Cuisine,* de Lancelot de Casteau, et qui constitue, selon Barbara Ketcham Wheaton, le premier livre de recettes internationales et qui ne soient pas décalquées sur celles du Moyen Âge.

Le second livre d'importance de cette époque est dû à la plume d'un des premiers grands chefs cuisiniers célèbres, La Varenne. Publié en 1651, *Le Cuisinier françois* sera, cependant, vite démodé, pour être remplacé par l'œuvre majeure du 17e siècle, *Le cuisinier roïal et bourgeois,* de François Massialot. Publié sous forme de dictionnaire – une innovation –, il s'avère très pratique pour les cuisiniers, car il détermine l'organisation de tout ce qui concerne l'art culinaire. «Vers le milieu du 17e siècle paraissent pour la première fois en France des recettes qui font appel à un ensemble intégré de techniques, mélanges de base et matières premières, obéissant à des règles universellement acceptées» et «aux 17e et 18e siècles, le style culinaire français va être forgé par l'organisation des cuisines d'où il émane[2].»

D'autres œuvres mineures paraissent, dont un des premiers traités – ils seront légion – sur les nouveaux breuvages dont va bientôt s'emparer la mode et qui «feront fureur»: *Le bon usage du thé, du caffé et du chocolat,* publié en 1687 par Nicolas de Blégny. Enfin, il faut souligner l'influence des chefs cuisiniers français travaillant à l'étranger et qui contribueront largement à la gloire gastronomique internationale de la France.

Quant aux rôles des fines herbes, non pas délaissées mais longtemps éclipsées par les épices, au 17e siècle, elles reviennent en force et la mode – et les précieux et précieuses de la Cour du Roi-Soleil, où la «fête» est la forme de repas privilégiée –

s'emparent d'elles. En cuisine, elles retrouvent leur place d'honneur. Séchées et pulvérisées, elles donnent le «poussct», ancêtre de nos sels d'herbes, employé pour aromatiser les potages. Pour farcir le ventre d'un porc, il faut ail, cannelle et clous de girofle, basilic, hysope, persil, sarriette, sauge, serpolet et thym, avec «force oseille et groseilles[1]». Les vinaigres d'estragon et de menthe sont prisés tandis qu'à la fin d'un repas, entre un doigt de Rossolio ou de Parfait Amour, les nouvelles liqueurs, il est de bon ton de se curer les dents avec une tige de fenouil confite dans le sucre (?). Si l'on souffre d'indigestion, au pis aller, de «vents», on boira un petit verre de Baume Tranquille, une eau-de-vie médicinale créée par le bon Abbé Rousseau, à base d'hysope, de lavande, de menthe, de romarin, de sauge et de thym. Au pire, si, souffrant de «vapeurs», vous vous évanouissez, ou feignez de le faire pour attirer l'attention d'un petit marquis à la joue blafarde ornée d'une «mouche», on vous glissera sous le nez un petit flacon de «sels» de lavande.

Toutefois, malgré le raffinement des mœurs, le 17e siècle est inimaginablement malpropre. Je n'en donnerai qu'un exemple, tiré au hasard de l'excellente étude de Georges Vigarello, *Le propre et le sale* (voir Bibliographie) et qui cite un auteur anonyme de l'époque: «Les enfants nettoieront leur face et leurs yeux avec un linge blanc, cela décrasse et laisse le teint et la couleur dans la constitution naturelle. Se laver avec de l'eau nuit à la vue, engendre des maux de dents, etc.» On comprend alors pourquoi les parfums sont, en ce siècle comme au suivant, omniprésents. Obtenus à partir d'essences de lavande, de romarin, etc., on s'en sert à toutes les sauces (littéralement, puisque certaines recettes de sauces culinaires vont jusqu'à contenir des produits de parfumerie comme l'eau de roses, la poudre d'iris de Florence – au suave parfum de violette, l'ambre ou le musc!). Les coussins d'herbes, les gants parfumés à la lavande ou au romarin, les «pommes d'ambre» (oranges piquées de clous de girofle) sont très en vogue. C'est aussi à cette époque qu'on crée l'Eau de la Reine de Hongrie, ancêtre de nos eaux de Cologne, et le Vinaigre des Quatre Voleurs (voir Index des recettes médicinales et cosmétiques).

Par ailleurs, si la peur de la peste, mais aussi des poisons, demeure omniprésente, la médecine, tout enfoncée dans les théories et les querelles, relève du charlatanisme le plus pur. Seule la botanique progresse avec l'œuvre de Tournefort, précurseur du Suédois Linné qui, au siècle suivant, deviendra le père de la botanique moderne, malgré que son œuvre soit, selon des critiques récentes, plus habile que géniale.

LE 18e SIÈCLE :
LE GRAND SIÈCLE DE LA GASTRONOMIE

Si le 17e siècle était celui de la fête, le suivant sera celui des «soupers intimes» qui, d'ailleurs, dégénèrent souvent en orgies. «Tout au long du 18e siècle, le lien entre la gastronomie et l'amour, ou en tout cas la bagatelle, sera très fort[2].» «... lorsque Louis XV régale ses intimes, les serviteurs sont exclus, de façon à ce que les hommes et les femmes puissent jouir ensemble, tranquillement, des félicités que procurent les mets les plus délicats, servis dans la porcelaine la plus fine et la plus somptueuse des argenteries, dans une atmosphère où tout respire l'élégance et la galanterie. Après le souper, ils savourent un café qu'a préparé le souverain lui-même, breuvage autrement enivrant qu'une simple liqueur[2]».

Parmi les grandes œuvres culinaires du 18e siècle, il faut mentionner : *Le cuisinier moderne,* de La Chapelle, en 1735, *Les dons de Camus,* de Marin, en 1739, *La nouvelle cuisine,* de Menon, en 1742 (et, du même auteur, en 1746, *La cuisinière bourgeoise,* le premier livre français exclusivement consacré à la «cuisine de femme»), *Les soupers de la Cour,* un anonyme de 1755, *Le traité historique et pratique de la cuisine,* en 1758 (attribué à Menon, l'auteur sans doute le plus important de son siècle), *Le manuel des officiers de bouche* et *Le dictionnaire portatif de cuisine,* deux anonymes parus respectivement en 1759 et 1762. Enfin, alors que *L'Encyclopédie* (parue entre 1757 et 1777) consacrera de nombreux chapitres à la cuisine, l'alimentation et l'agriculture, le Grand d'Aussy publie, en 1782, *L'Histoire de la vie privée des François,* la première histoire de la cuisine française.

Tous ces livres contribueront au fait que l'art gastronomique (le «neuvième art», selon Rabelais) atteint, au 18e siècle, dans l'invention des principes culinaires de base, des sommets qui ne seront jamais dépassés. «À quelques années de la Révolution, la France a la réputation de posséder les plus fins cuisiniers et les meilleures cuisines d'Europe[2]. » Sont déjà mises au point nombre de recettes de soupes, de bouillons, d'omelettes, de sauces, de pâtisseries, etc., dont nous nous servons toujours. Pour s'en faire une idée, voir Recettes du 18e siècle, dans l'Index des recettes.

Par ailleurs, si le 18e siècle est celui de l'établissement des règles d'or de la gastronomie, ce sera aussi, de nouveau, celui de la grande controverse entre les tenants de la cuisine «ancienne» et ceux de la cuisine «nouvelle». «L'art culinaire subit alors une transformation radicale. De façon quelque peu ironique, sous couvert de simplifier, on fait appel à des ingrédients encore plus luxueux, à des mélanges de base plus dispendieux et à des combinaisons plus recherchées[2]. » «Voici venu le règne de la simplicité et de la pureté – ce qui coûte évidemment plus cher que ne le faisaient les anciennes méthodes[2]. »

Et puis, ce sera la Révolution, dont la gastronomie se remettra très rapidement. Ce sera même alors comme le triomphe de la cuisine «bourgeoise» sur la «haute cuisine» aristocratique. «Le service à la française, orienté vers la pleine utilisation de l'espace, ne sera détrôné par le service à la russe, et son schéma séquentiel, qu'après 1850[2]. »

Par ailleurs, si c'est au 18e siècle qu'on codifiera les usages des fines herbes en cuisine, ce sera aussi un grand siècle pour les parfums, encore tous à base de plantes, principalement cultivées à Grasse, centre mondial de la parfumerie depuis. On créera alors l'Eau d'Ange et l'Eau Admirable (notre Eau de Cologne) de même que les «sachets odorants», qui sont à l'origine des «pots-pourris» anglais, toujours à la mode (voir p. 85).

C'est aussi à cette époque, à la fois frivole et rationnelle, qu'on assistera au début de la scission entre la botanique et la médecine, où les «herbes» seront les grandes perdantes. On verra comment au chapitre suivant.

LES DEUX DERNIERS SIÈCLES : LA RAISON ET L'ARTIFICE

Si, comme on l'a vu, les fines herbes ont été, tout au long de l'Histoire, intimement liées à nombre de domaines d'activité de l'homme (même le commerce), il n'en va pas de même pour les deux derniers siècles où, après avoir été plantes magiques et médicinales, nos «amies aromatiques» se verront peu à peu presque entièrement confinées dans leur rôle condimentaire.

C'est en médecine d'abord, une médecine de plus en plus éclatée, spécialisée, qu'on les abandonnera, sous l'argument, partiellement justifié, que «mieux valent (pour eux) les produits de synthèse, "chimiquement purs", définis et dosés[3]». Il est vrai que depuis la découverte, par la chimie et la biologie, des principes actifs des plantes – de même que leurs autres composants comme les vitamines, les sels minéraux, les oligoéléments, les protéines, etc. – on a réussi à créer des médicaments de synthèse plus stables et plus faciles à prescrire. Le défaut des essences végétales, c'est qu'elles marquent souvent «de grandes différences dans leur composition chimique[3]» car, «pour posséder leur pleine action (…), les plantes doivent provenir de bons terroirs (il existe des "crus d'essence"), avoir été récoltées en temps opportun, préparées et conservées avec art[3]».

Note : le symbole (3) indique une référence à l'œuvre de Jean Valnet. Voir Bibliographie.

Par ailleurs, «les caractéristiques physico-chimiques des huiles essentielles sont variables selon beaucoup de facteurs (lieu de provenance, climat et ses diverses modifications – périodes de grandes pluies ou de sécheresses prolongées – époque et moyen de récoltes, procédés d'extraction, etc.)[3]». Et d'ajouter, d'autre part, Pierre Lieutaghi, «certaines balsamiques méridionales, amies du soleil et de l'aridité, perdent une grande part de leurs vertus dans les bonnes terres du Nord».

Était-ce une raison pour abandonner les herbes et leur préférer uniquement des produits «chimiquement purs», à l'action certes efficace et rapide mais aussi parfois très violente et dont on ne connaît jamais à coup sûr toute l'étendue ? Je ne crois pas. Je n'en donnerai pour exemple que quelques médicaments «miracles» aujourd'hui abandonnés (thalidomide, etc.) ou remis en question (cortisone, tranquillisants comme Librium, Valium, etc.). Même la simple Aspirine est responsable de plus en plus d'ulcères gastriques et d'allergies. Les mêmes remarques générales valent pour les antibiotiques, substances précieuses dans les cas urgents (infections foudroyantes, maladies vénériennes, etc.), mais souvent prescrits pour rien ou avec exagération. Sans insister ici sur l'accoutumance subtile engendrée par nombre de «petites pilules», trop de médicaments dangereux sont souvent inutilement prescrits.

Mais, malgré que les plantes soient capricieuses (après tout, ce sont des êtres vivants) et parfois lentes à agir, «il existe dans le végétal plusieurs constituants synergiques qui font que l'action résultant de son emploi se montre moins brutale, plus prolongée, plus complète que celle des principes chimiques et qui expliquent que le médicament naturel soit, dans l'ensemble, mieux toléré par l'organisme que les substances étrangères créées artificiellement dont on connaît mal la toxicité à longue échéance et les effets accessoires». C'est Jean Valnet, un médecin, aussi aromathérapeute, qui parle, et son argument est de taille.

Et, à qui douterait encore de la puissance des principes actifs des herbes, «fines» ou «vulgaires», rappelons seulement l'existence de plantes aussi violemment toxiques que le datura, l'aconit ou la digitale. Par ailleurs, de nombreuses essences de plantes sont, «à certaines doses (généralement élevées) et pour les sujets prédisposés[3]», épileptisantes (hysope, fenouil, romarin, sauge) ou stupéfiantes (anis, mélisse, menthe, origan). On doit donc toujours manipuler avec les plus grandes précautions les essences ou les huiles essentielles (plus concentrées) de la plupart des fines herbes (ici l'objet de notre étude). «J'ai dit, je redirai qu'il est tout à fait vain de vouloir utiliser les herbes avant d'avoir appris à les connaître, non seulement vain mais parfois dangereux.» (Pierre Lieutaghi) Et cet auteur de donner comme exemple celui de l'apiol, un principe essentiel très dangereux si mal utilisé, et tiré d'une plante aussi «banale» que le persil.

Ainsi, l'utilisation médicinale des herbes, fines et autres, devrait être, selon moi, avant tout envisagée dans la perspective d'une médecine préventive et curative seulement de troubles de santé mineurs (comme grippes, indigestions, engorgement du foie, insomnie, etc.). Même si l'idée relève un peu de l'utopie, n'en coûterait-il pas bien moins cher à l'État si les gens, se mettant «à l'écoute de leur corps», apprenaient à soigner eux-mêmes les troubles bénins dont ils souffrent! Les quelques recettes médicinales présentées dans ce livre l'ont été en conséquence de ce point de vue.

Enfin, les herbes ne sauraient faire de miracles et c'est dans le contexte d'un style de vie harmonieux – alimentation saine (variée et complète), aménagement des loisirs et exercice physique, rythme de vie équilibré, retours périodiques à la nature, etc. – que leur utilisation doit d'abord être considérée, non dans le contexte de la maladie déjà déclarée, puisqu'il semble bien que le temps de la «tante arrivant de la campagne avec sa valise bourrée de savoyane, d'herbe à dindes, de verge d'or et d'autres herbes sauvages, pour vous soigner» soit tout à fait révolu.

Parallèlement à la médecine, et en ce qui concerne de près ou de loin les fines herbes, d'autres sciences se seront considérablement développées au cours des deux derniers siècles. Ce sont: l'hygiène (en particulier avec les travaux de Pasteur), la diététique et enfin, par un juste retour des choses, la phytothérapie (thérapie par les plantes) mais surtout l'aromathérapie.

Sera-ce enfin, en notre civilisation qui, selon le mot de Pierre Lieutaghi, «atteint les limites de la négation de la Nature», la «revanche» des herbes (elles qui sont pourtant si peu agressives)? Le problème demeure, avec l'aromathérapie, que par rapport aux médicaments de synthèse créés par les puissants cartels pharmaceutiques (ne mentionnant qu'au passage les multinationales productrices d'engrais, insecticides, fongicides, pesticides, etc. chimiques), les essences végétales sont d'un prix assez élevé. Si élevé que, même en parfumerie et en cosmétique, elles ont cédé presque toute la place à des produits de synthèse. Tout n'est-il désormais qu'une question de «gros sous»? Issue des traditions les plus anciennes, mais modernisées, l'aromathérapie obtiendra-t-elle un jour la place qui lui revient de droit? L'avenir seul – s'il en est un – nous le dira.

Notes diverses
sur les recettes

Les quelque 200 recettes présentées et intégrées dans ce livre provenaient de sources trop différentes et souvent multiples pour qu'il vaille la peine, sauf exception, de les mentionner. La plupart, d'origine paysanne et bourgeoise (au sens ancien du mot), sont relativement économiques et faciles à réaliser. Le critère premier qui m'a guidé dans mon choix était leur succulence. J'avoue ne pas les avoir toutes essayées ; les unes et les autres ont été sélectionnées en fonction de principes culinaires qui m'étaient déjà connus. Sans me prétendre le moins du monde gastronome, j'ai aussi donné des recettes de la «haute cuisine» classique, et d'autres, anciennes – et parfois curieuses – pour donner une idée de l'évolution des principes culinaires dans le temps (voir en particulier Recettes de la Rome Antique, du Moyen Âge et du 18e siècle. Toutes les recettes contiennent, évidemment, des fines herbes)

Si les recettes sont en majorité originaires de France, d'autres le sont de divers pays, principalement situés autour du bassin méditerranéen, lieu d'origine de la plupart des fines herbes (Italie, Grèce, Liban, etc.). Les recettes de Provence ont été distinguées de celles de la France parce qu'elles font davantage appel aux herbes du Midi.

Il convient de noter que si un grand nombre de recettes appartiennent à la cuisine «d'été», où les herbes fraîches sont disponibles, d'autres, faisant appel aux herbes séchées, relèvent d'une cuisine «d'hiver», plus carnée et plus mijotée. On pourra donc composer, à partir des recettes présentées dans ce livre, des menus pour toute l'année. En gros, 1 c. à soupe d'herbes fraîches équivaut à ½ c. à thé (à café) d'herbes séchées ou ¼ de c. à thé (à café) d'herbes pulvérisées (les moins recommandées).

Comme on le verra, chaque pays privilégie quelques herbes qui correspondent, pourrait-on croire, à son tempérament. Si la gastronomie fait appel à presque toutes les fines herbes, et si l'ail est employé presque partout dans le monde, l'Italie fait grand cas du basilic, de l'estragon et de l'origan, la Grèce, de l'aneth, de la coriandre, de l'origan et de la sauge, la Provence, du thym, du serpolet et du romarin, l'Allemagne, du carvi, de la livèche et de la marjolaine, l'Angleterre, de la menthe et de la sauge, etc. Au Québec, quoiqu'une grande évolution ait eu lieu dans les vingt dernières années, en particulier en ce qui concerne les fines herbes, longtemps négligées dans la cuisine de «bonne sœur» qui fut la nôtre, le persil et la sarriette sont encore les herbes les plus populaires (puisse ce livre aider à la diffusion de la connaissance de toutes les herbes, en particulier la livèche!).

En ce qui concerne les produits employés dans ce livre, il me faut mentionner que dans les recettes où l'on indique de l'huile d'olive, celle-ci doit être de première qualité, si possible «vierge et pressée à froid», surtout si employée dans les salades. En plus d'être très bonne au goût, cette huile est, contrairement aux huiles cuites, excellente pour le foie et tout l'appareil digestif. Le beurre ne saurait, en aucun cas, être remplacé par la margarine. Enfin, le gros sel sera employé de préférence au sel raffiné. Comme l'a si justement écrit Nostradamus: «Car de belle marchandise se fait de bel ouvrage: et de laide ou meschante, meschant ouvrage.»

Pour faciliter la lecture, les recettes, pour la plupart calibrées pour 4 personnes, ont été présentées dans l'ordre suivant: a) entrées, b) soupes, potages et crèmes, c) viandes, volailles et poissons, d) plats de légumes, e) plats composés mijotés, f) salades, g) sauces, farces et marinades, h) beurres, huiles et vinaigres aromatisés, i) bouquets garnis, fines herbes et herbes salées, j) essences d'herbes, k) friandises, l) liqueurs digestives, m) recettes médicinales, n) recettes cosmétiques, o) recettes anciennes et curieuses.

Règle générale, les viandes sont accompagnées des fines herbes suivantes:

Agneau: aneth, menthe, romarin et thym.

Bœuf: persil, sarriette et thym.

Porc: persil, sauge et thym.

Poulet: cerfeuil, estragon et thym.

Veau: estragon, persil et thym.

Les poissons seront accompagnés des herbes suivantes: aneth, fenouil, livèche, mélisse, persil et thym.

Notes critiques sur les produits vendus dans le commerce

Semences et plants : Si les graines des Labiées gardent leur pouvoir germinatif assez longtemps, celles des Ombellifères perdent rapidement le leur (sauf la coriandre). C'est pourquoi il est essentiel d'acheter ses semences chez un grainetier ou pépiniériste de confiance.

L'achat de plants est, par ailleurs, profitable pour toutes les herbes à croissance lente ou vivaces (lavande, romarin, sauge, etc.), de manière à pouvoir en faire une bonne récolte dès la première année. Cet achat est même essentiel pour l'estragon et la menthe poivrée, car ces deux plantes demeurent toujours stériles. Les semences d'estragon vendues chez certains marchands donnent une plante à saveur et arôme nuls.

Herbes «fines» et autres : Si rien ne saurait remplacer, en cuisine, les herbes fraîches, il faut bien se résoudre, en hiver, si l'on n'en fait pas la culture intérieure, à utiliser les herbes séchées ou conservées autrement.

Pour en finir avec les herbes fraîches, disons que, si l'on n'a pas de jardin ou de coin de cour où en cultiver, on peut toujours s'en procurer, en saison, dans les marchés publics ou les épiceries spécialisées. Comme les fines herbes sont rarement attaquées par les insectes (sauf les menthes), il y a peu de risque qu'elles soient couvertes d'insecticides comme le sont certains fruits et légumes.

Culinaires ou médicinales, les herbes séchées – et grossièrement coupées – seront achetées, de préférence, chez un marchand d'herbes de confiance, en quantités de 25 g (1 oz) ou plus. Cette manière de faire sera beaucoup plus économique que l'achat d'herbes ou d'épices en «petits pots transparents» (nombreuses marques commerciales) vendus aujourd'hui à des prix que, personnellement, je trouve exorbitants. De même, on évitera à tout prix les herbes pulvérisées, vendues, soit en pots, soit en sachets pour tisanes. Elles ont une valeur médicinale presque nulle.

Quant à la qualité des herbes séchées, disons que toute herbe dont on écrase quelques feuilles dans le creux de sa main et qui ne dégage pas aussitôt l'arôme ou le parfum qui lui est propre doit être écartée comme n'ayant aucune valeur. Une herbe décolorée ou trop sèche est aussi à rejeter. (Combien de gens ont cessé de croire aux vertus des «simples» uniquement parce que des marchands, sinon malhonnêtes, du moins ignorants, leur ont vendu des herbes depuis longtemps «mortes»!)

Cela est encore plus vrai pour les herbes destinées à un usage médicinal. Si, culinairement et médicinalement, les herbes fraîches sont toujours préférables, il n'en va pas de même pour les herbes séchées. Certains ont cru, dans un but louable, mais à courte vue, d'autosuffisance, pouvoir cultiver en grand au Québec des herbes comme la sauge, le romarin, le thym, etc. Or, leur teneur en huile essentielle est souvent faible, surtout si elles ne sont pas convenablement cultivées. C'est ainsi que pour des fins médicinales tout au moins, on leur préférera les grands «crus d'essence» et, par exemple, la sauge importée de Grèce, le romarin et le thym importés de Provence, la menthe poivrée du Japon, les lavandes anglaises ou provençales, etc., à condition, bien sûr, là encore, que ces herbes soient d'importation récente. Mentionnons enfin que les sels d'herbes sont «condimentairement» très intéressants puisque d'un emploi facile. Ces sels sont, en outre, excellents pour la santé.

Les autres produits à base d'herbes – huiles essentielles et essences, produits médicinaux divers, produits cosmétiques, parfums, etc. – sont disponibles dans un grand nombre de commerces. On en trouvera souvent, chez les bons marchands d'herbes, une gamme variée, et bien que leurs prix paraissent parfois élevés, il est à remarquer que ces produits durent souvent beaucoup plus longtemps, à l'usage, que ceux créés par la grande industrie (et dont nous inonde la publicité) et qui sont de valeur médicinale nulle, quand ils ne sont pas responsables d'allergies et ne contribuent pas à la pollution… de nos nez.

Description détaillée des 25 principales fines herbes et recettes

L'ail

« Nous nous rappelons les poissons que nous
mangions pour rien en Égypte, les concombres,
les melons, les poireaux, les oignons et les aulx.
Maintenant notre âme est à sec. Plus rien ! si ce n'est
la manne que nous avons devant les yeux. »

Nombres, 11,5

Origine du nom *Allium sativum.* Le nom français provient du latin *allium,* lui-même issu du mot celte *alle,* « brûlant ».

Mythes et légendes Bien qu'il ne s'agisse pas d'une herbe « fine », c'est néanmoins une des plantes condimentaires les plus utilisées en cuisine et médecine populaire, et c'est pourquoi je ne pouvais la passer sous silence. Cultivé depuis la plus haute Antiquité, l'ail est originaire d'Asie Centrale. C'est, pour tous les peuples, une panacée et le premier des condiments. « L'ail, dont une inscription datant de 4 500 ans av. J.-C. et gravée sur la pyramide de Chéops rappelle que, chaque matin une gousse d'ail était distribuée à chaque esclave travaillant à l'édification de la célèbre pyramide, était particulièrement apprécié car il était réputé donner des forces. » (Louis Lagriffe)

Description botanique Liliacée cultivée comme annuelle, l'ail peut atteindre 30 cm (12 po) de hauteur. On en connaît plusieurs variétés, mais les plus cultivées sont le blanc et le rose (plus petit mais de conservation plus longue). Quoique d'un goût plus délicat, l'ail des bois se prête aux mêmes utilisations que le cultivé. L'ail chinois, d'introduction assez récente au Québec, est cultivé pour ses tiges.

Mode de culture **Semis :** Planter les gousses (les plus grosses seulement) en pleine terre, fin avril. Couvrir de 3 à 4 cm (1 ¼ po à 1 ½ po) de terre. L'ail protège les rosiers contre les insectes, mais inhibe la croissance des haricots et des pois. **Sol :** Bien drainé, très riche en vieux fumier. **Exposition :** Plein soleil. **Distance entre :**

Rangs : 40-50 cm (16-20 po), Plants : 10-12 cm (4-4 ¾ po). **Soins :** Sarclages fréquents. Ne jamais renchausser les plants, ce qui peut retarder leur maturation. **Récolte et conservation :** Quand les têtes à gousses (appelées aussi « caïeux ») sont bien formées et que les tiges ont commencé à faner, arracher l'ail et le laisser sécher au soleil quelques jours. On en fait ensuite des chapelets en tressant les tiges dont on attache l'extrémité avec une corde solide. Suspendus dans un lieu frais mais bien aéré, ces chapelets peuvent se conserver tout l'hiver jusqu'à la prochaine plantation. Toutefois, il faut renouveler les gousses à planter tous les 2-3 ans, car les têtes ont tendance à devenir de plus en plus petites. Les petits caïeux qui restent peuvent être conservés dans l'huile d'olive, au froid. On peut aussi s'en servir dans diverses recettes (voir plus loin).

Usages Abondamment employé dans certaines cuisines, les méridionales surtout, l'ail est le condiment essentiel de nombreuses viandes (agneau, bœuf, porc) et plats divers (plats mijotés, salades, etc.). La façon la plus simple de préparer les gousses consiste à les écraser délicatement avec le plat de la lame d'un couteau, à les couper sur le sens de la longueur puis, si désiré, à en retirer le germe vert central qu'on dit responsable de la mauvaise odeur que donne l'ail. Pour neutraliser cette odeur, les auteurs suggèrent de mâcher 2-3 grains de café, quelques graines d'angélique, d'anis, de cardamome, de coriandre ou de cumin, une branche de persil, 1 c. à thé (à café) de miel ou une pomme râpée. À la cuisson, l'ail ne doit jamais être frit, doré tout au plus. Si une recette requiert une grande quantité d'ail, un presse-ail est alors des plus utiles.

Médicinalement, l'ail – qui s'emploie alors cru – a de multiples vertus et c'est un élément essentiel de toute bonne médecine préventive. Employé aujourd'hui contre le cancer et l'hypertension, il a des qualités tonifiantes et antiseptiques indéniables. Toutefois, il est à proscrire aux jeunes enfants et aux gens souffrant de problèmes du système digestif ou de dermatoses. À l'extérieur, l'ail broyé est souverain contre les brûlures, les piqûres d'insectes, les verrues et les cors.

RECETTES
......

SOUPE À L'AIL
(4 personnes)

1 litre (4 tasses) d'eau
Sel et poivre au goût
4 grosses gousses d'ail
2 œufs
Croûtons frits au beurre

Dans un litre d'eau assaisonnée au goût, mijoter l'ail jusqu'à ce qu'il soit tendre puis l'écraser complètement à la fourchette. Battre les œufs, leur ajouter un peu d'eau de cuisson puis l'ail écrasé et remettre le tout dans le bouillon. Couvrir et mijoter une dizaine de minutes. Servir avec des croûtons.

AIGO-BOUÏDO
(soupe provençale)
(6 personnes)

1 tête d'ail complète
4-5 c. à soupe d'huile d'olive
2 litres (8 tasses) d'eau
1 bouquet garni (thym, laurier, persil)
1 branche de sauge
1 clou de girofle
Sel et poivre au goût

Faire revenir doucement l'ail broyé dans l'huile puis ajouter les autres ingrédients. Mijoter le tout 10 minutes puis servir avec des croûtons.

AILLÉE
(13e siècle)

Soupe très en vogue au Moyen Âge, l'aillée consistait en un mélange d'ail pilé, d'amandes moulues et de mie de pain, le tout allongé de bouillon de légumes ou de viande et assaisonné au goût.

SAUCE PROVENÇALE
(pour rôti de bœuf ou de veau)

3 échalotes françaises
1 gousse d'ail
3 c. à soupe d'huile d'olive
1 c. à thé (à café) de farine
Bouillon de légumes ou de viande
Sel et poivre
1 petit verre de vin blanc sec
1 petit bouquet garni
250 g (9 oz) de champignons
Jus de citron au goût

Faire revenir les échalotes et l'ail finement hachés dans l'huile puis les saupoudrer de farine. Mouiller ce mélange avec le bouillon et assaisonner au goût. Ajouter ensuite le vin blanc, le bouquet garni et couvrir le tout. Mijoter 15 minutes environ puis ajouter les champignons tranchés et mijoter 20-30 minutes de plus. Passer le tout, ajouter un peu de jus de citron et servir aussitôt.

BEURRE À L'AIL
(pour escargots et croûtons)

100 g (6 c. à soupe) de beurre
4 gousses d'ail, broyées
Poivre et sel (si l'on emploie du beurre non salé)
Persil

Manier le beurre froid à la fourchette en y incorporant l'ail broyé, le persil, le sel et le poivre au goût. Travailler le tout jusqu'à l'obtention d'une pâte onctueuse et lisse. Ce beurre peut se conserver plusieurs semaines au froid. Il s'emploie avec les croûtons et les escargots mais aussi sur les légumes chauds (pommes de terre en robe des champs, etc.) et les viandes grillées.

BEURRE AUX FEUILLES D'AIL DES BOIS

Procéder comme pour le beurre à l'ail en remplaçant celui-ci par des feuilles d'ail des bois hachées puis réduites en pâte au mélangeur avec un peu de liquide. Ce beurre se conserve très bien au congélateur.

VINAIGRE D'AIL

60 g (2 ½ oz) d'ail, pelé et légèrement écrasé
1 litre (4 tasses) de vinaigre de vin blanc

Couvrir l'ail préparé de vinaigre, sceller le pot et laisser macérer le tout pendant 1 mois. Au bout de ce temps, filtrer le tout et conserver le vinaigre dans une bouteille hermétiquement fermée (voir aussi la recette de Vinaigre d'ail et de basilic, p. 52).

OLIVES NOIRES À L'AIL ET AU THYM

500 g (1 lb) d'olives noires grecques
3 gousses d'ail
1 c. à soupe de thym frais, haché
2 c. à soupe d'huile d'olive

Placer les olives dans un pot de verre ou de grès, ajouter l'ail haché, le thym et l'huile. Bien mélanger le tout, fermer le bocal et laisser macérer au frais 2 jours au moins avant de consommer.

ESSENCE D'AIL

250 ml (1 tasse) de vinaigre blanc
24 gousses d'ail, écrasées

Amener le vinaigre à ébullition puis verser sur l'ail préparé. Laisser macérer pendant 5-6 heures puis filtrer et réduire le liquide des deux tiers. Conserver dans une bouteille stérilisée et hermétiquement fermée.

AÏOLI

12 gousses d'ail
100 ml (3 oz) d'huile d'olive
1 jaune d'œuf
Sel et paprika au goût
1 ½ c. à soupe d'eau bouillante

Peler et piler les gousses d'ail puis leur incorporer, goutte à goutte au début, l'huile d'olive. Incorporer le jaune d'œuf, le sel et le paprika. Quand le tout a la consistance d'une mayonnaise, allonger avec l'eau bouillante. Sauce excellente avec les escargots, les champignons, divers légumes blancs, les fruits de mer et la morue.

L'aneth

L'aneth et le fenouil, l'anis et la coriandre
N'ont point des effets différents :
De fond des intestins ils font sortir les vents,
Et par derrière ils les font rendre.

École de Salerne

Origine du nom *Anethum graveolens*. Le nom français provient du grec *anethon*, «fenouil».

Mythes et légendes Originaire d'Asie du Sud, la plante est connue depuis l'Antiquité autant pour ses vertus médicinales que la valeur condimentaire de ses feuilles et de ses graines. Déjà citée dans la Bible, elle était pour les Romains le symbole de la joie et du plaisir. En Angleterre, la plante était employée pour contrer les mauvais sorts : aussi les jeunes mariées en garnissaient-elles, avec une pincée de sel, l'intérieur de leurs souliers.

Description botanique De la famille des Ombellifères, l'aneth est une annuelle aux feuilles très découpées et à ombelles à fleurs jaunâtres qui peut atteindre 60-80 cm (24-32 po) de hauteur. L'odeur de la plante est anisée, un peu menthée et très légèrement fétide.

Mode de culture Semis : En pleine terre, en avril-mai ou, mieux, les semences gardant leur pouvoir germinatif peu de temps, en automne. La plante se ressème souvent d'elle-même. **Sol :** Riche et meuble. **Exposition :** Plein soleil. **Distance entre les plants :** 20 cm (8 po) environ (quelques plants suffisent). **Soins :** Sarclages au début seulement car la plante, étant de croissance rapide, prend vite possession de son espace. **Récolte et conservation :** Récolter les feuilles au besoin. Pour les semences, quand elles mûrissent, on coupe les tiges porteuses, les attache la tête en bas puis quand elles sont bien séchées, on le bat au-dessus d'un drap tendu. Il faut s'assurer que les semences soient bien sèches avant de les empoter.

Usages En cuisine, les feuilles et les semences s'emploient pour aromatiser les salades, divers poissons (écrevisses et saumon surtout) et diverses marinades. On peut aussi en parfumer le pain. En infusion, à raison de 5 à 10 g (¼ à ½ oz) de semences dans 1 litre (4 tasses) d'eau bouillante, l'aneth est excellent contre les digestions difficiles et le hoquet.

RECETTES

PETITS CHAUSSONS À L'ANETH
(entrée)

500 g (1 lb) de fromage feta
2 jaunes d'œuf
3 c. à soupe d'aneth frais
Sel et poivre au goût
750 g (1 ½ lb) de pâte brisée
Un peu de lait

Égoutter le fromage puis l'écraser à la fourchette. Y incorporer, en mélangeant bien à mesure, les jaunes d'œuf et l'aneth finement haché. Assaisonner au goût. Abaisser la pâte brisée à 2 mm (¹⁄₁₆ de po) d'épaisseur puis en faire des rondelles assez grandes pour contenir 1 c. à soupe du mélange. Plier la pâte en deux et en fermer les bords à la fourchette qu'on mouille d'un peu de lait. Badigeonner les chaussons avec du jaune d'œuf battu puis cuire à 160 °C (325 °F environ), 30 minutes ou jusqu'à ce que les chaussons soient dorés. Servir chaud.

TZATZIKI

1 concombre moyen, pelé et émincé
500 ml (2 tasses) de yogourt
1 c. à soupe d'huile d'olive
1 c. à thé (à café) de vinaigre
1 c. à thé (à café) d'aneth, haché finement
1 gousse d'ail, broyée
Sel et poivre au goût

Mélanger tous les ingrédients et mettre au froid 1 heure au moins avant de servir comme accompagnement du poisson grillé ou des aubergines ou courgettes frites.

SAUCE À L'ANETH
(pour crevettes)

250 ml (1 tasse) de crème sure
½ c. à thé (à café) de moutarde sèche
1 c. à soupe de jus de citron
1 c. à soupe d'huile d'olive
Sel et poivre au goût
1 c. à soupe d'aneth frais, haché
Câpres, hachées (facultatif)

Mélanger tous les ingrédients. Une variante consiste à remplacer l'aneth par du persil et la crème sure par de la mayonnaise.

MAYONNAISE D'ANETH
(pour œufs durs, légumes ou poissons chauds ou froids)

1 jaune d'œuf
4 c. à soupe de crème sure
125 ml (½ tasse) de Vinaigrette de base
(voir p. 166)
Jus de citron au goût
2 c. à soupe d'aneth frais, haché

Battre ensemble le jaune d'œuf et la crème sure jusqu'à ce qu'ils soient parfaitement homogènes. Incorporer la vinaigrette goutte à goutte (comme pour une mayonnaise), puis par petites quantités. Assaisonner avec le jus de citron puis ajouter l'aneth.

BEURRE D'ANETH

3 c. à soupe d'aneth, finement haché
2 c. à soupe d'échalotes françaises, finement hachées
1 c. à soupe de persil, finement haché
50 g (¼ de tasse) de beurre
1 c. à thé (à café) de jus de citron

Bien mélanger le tout et garder au froid. Ce beurre s'emploie avec les pâtes italiennes, les œufs, les poissons et divers légumes. Au congélateur, il se conserve environ 6 mois.

VINAIGRE D'ANETH ET DE BOUTONS DE CAPUCINE

1 litre (4 tasses) de vinaigre blanc
1 c. à soupe de boutons de capucine
1 branche d'aneth frais

Amener le vinaigre à ébullition puis le verser sur les boutons de capucine et l'aneth placés dans un bocal de grès ou de verre. Laisser macérer le tout pendant 1 semaine. Retirer l'aneth et les boutons de capucine du vinaigre, ramener celui-ci à ébullition puis l'embouteiller.

CORNICHONS À L'ANETH
(pour 4 pots d'un litre)

Environ 3 litres (12 tasses) de cornichons petits ou moyens
Branches d'aneth frais
1 litre (4 tasses) de vinaigre blanc
1 litre (4 tasses) d'eau
100 g (½ tasse) de gros sel
Épices à marinades
Grains de poivre noir
Feuilles de laurier
Ail

Brosser les cornichons à l'eau courante puis les placer avec l'aneth dans les pots stérilisés et chauds. Chauffer le vinaigre et l'eau en y dissolvant complètement le sel. Ajouter dans chaque pot 1 c. à soupe d'épices à marinades, 5-6 grains de poivre noir, une feuille de laurier et 2-3 gousses d'ail entières. Couvrir les cornichons petit à petit du liquide chaud et sceller aussitôt les bocaux. Garder au frais et à l'ombre. Attendre au moins 3 mois avant de consommer.

L'anis

« L'Anis est bon aux yeux, à l'estomac, au cœur
Préférez le plus doux, c'est toujours le meilleur... »
École de Salerne

Origine du nom *Pimpinella anisum.* Le nom provient du grec *anison,* « faire jaillir par allusion aux propriétés carminatives de la plante ».

Mythes et légendes Plante d'origine inconnue mais de culture très ancienne et connue des Égyptiens, des Grecs et des Arabes. « Pour les Chinois, c'était une plante sacrée dont on brûlait les tiges sur les tombeaux et dont les graines servaient pour aromatiser les mets des repas de noces. » (Louis Lagriffe)

Description botanique De la famille des Ombellifères, l'anis, cultivé uniquement pour ses semences, est une annuelle au feuillage vert pâle, aux fleurs blanches en ombelles et dont la taille peut atteindre 50 cm (20 po). L'odeur de la plante est « anisée », douce et parfumée. La saveur est chaude et piquante.

Mode de culture Semis : En pleine terre, en mai. De germination longue, la plante n'a pas toujours le temps de venir à maturité au Québec. De plus, comme les semences ont un pouvoir germinatif faible, il faut les semer serré. **Sol :** Riche et léger. **Exposition :** Plein soleil. **Distance entre les plants :** 20 cm (8 po) (quelques plants suffisent pour une consommation domestique). **Soins :** Sarclages au début, arrosages en cas de sécheresse. **Récolte et conservation :** Récolter les feuilles au besoin, les semences à maturité.

Usages En cuisine, l'anis entre dans la confection du pastis et diverses autres liqueurs, de biscuits, de pains d'épices, de gâteaux, de dragées, etc. En mélange avec le gingembre et la cannelle, il parfume divinement la tarte aux pommes (ou la compote). Les feuilles aromatisent bien les salades et les soupes de poisson.

En infusion, à raison de 1 c. à thé (à café) dans 250 ml (1 tasse) d'eau, les semences sont toniques du système nerveux et de l'appareil digestif. L'essence s'emploie à raison de 2 à 10 gouttes dans 250 ml (1 tasse) d'eau ou sur un morceau de sucre.

RECETTES
• • • • • • • • • • • • •

BISCUITS À L'ANIS

100 g (½ tasse) de beurre
200 g (1 tasse) de sucre
2 jaunes d'œuf
200 g (2 tasses) de farine
1 c. à soupe de levure chimique (poudre à pâte)
1 pincée de sel
1-2 c. à soupe de graines d'anis

Défaire le beurre en crème puis incorporer complètement le sucre. Incorporer ensuite, en alternant, les jaunes d'œuf battus et les ingrédients secs tamisés ensemble. Rouler la pâte à 1 cm (½ po) d'épaisseur, la découper en rondelle. Cuire les biscuits badigeonnés de jaune d'œuf battu sur une plaque beurrée 15 minutes à 110 °C (225 °F environ).

ANISETTE

1 litre (4 tasses) d'alcool à 94°
40-50 g (1 ½-2 oz) de graines d'anis, pilées
200-500 g (1-2 tasses) de sucre (au goût)
Cannelle en morceaux ou vanille en gousses

Macérer le tout pendant 5-6 semaines puis filtrer et embouteiller. L'anisette est un digestif excellent.

Le basilic

« Le basilic fin vert, j'ai du beau basilic… »
Cri des marchands des rues de Paris

Origine du nom *Ocimum basilicum*. Le nom provient du grec *basilikon* qui signifiait «royal». En effet, c'est le roi Alexandre le Grand qui, dit-on, rapporta la plante de Perse en Occident.

Mythes et légendes De nombreuses légendes s'attachent au basilic. En Inde, d'où il est originaire, le basilic était consacré au dieu Vishnou, car il protégeait du terrible serpent mythique «qui tue avec les yeux». Chez les Égyptiens, il servait, avec la myrrhe, l'encens, la sauge et le thym, à l'embaumement des morts. Enfin, alors que pour les Grecs la plante avait le pouvoir de faire naître des scorpions du cerveau, à Rome, elle était l'emblème des amoureux.

Enfin, comme l'écrit Pierre Ferran: «… la récolte de la plante s'accompagnait d'un rituel précis: l'herboriste devait purifier sa main droite profanatrice en l'aspergeant, à l'aide d'un rameau de chêne, de l'eau de trois sources différentes, revêtir des vêtements propres et se tenir à distance des êtres impurs, en particulier des femmes en période de menstruation. Les instruments de fer – métal vil – étaient, bien entendu, proscrits lors de la cueillette. Les sorciers qui recherchaient eux aussi le basilic procédaient également au ramassage avec un rituel qui était en tous points opposé à celui que nous venons de relater. La plante devait être cueillie la nuit, par une femme non vierge, de la main gauche, mise dans une chemise souillée et coupée avec un couteau venant de servir à égorger un poulet noir».

Description botanique Labiée annuelle à feuilles d'un beau vert brillant et à fleurs blanches ou rosées, le basilic forme un petit buisson qui peut atteindre 40 cm (16 po) de hauteur. On en connaît plusieurs variétés: à grandes feuilles, à petites feuilles (plus parfumé), etc. L'odeur de la plante est à la fois anisée et giroflée, pénétrante et très agréable.

Mode de culture **Semis :** Semis intérieur en mars-avril. Transplanter en mai quand tout danger de gelée est passé. La tomate est une bonne plante compagne du basilic. **Sol :** Léger, humide mais bien drainé. **Exposition :** Soleil ou partiellement ensoleillé (pour retarder la floraison). **Distance entre les plants :** 25 cm (10 po) (une douzaine de plants peuvent suffire). **Soins :** Sarclages au début, arrosages copieux par temps sec. Tailler les plants pour les empêcher de fleurir. Ne jamais toucher aux plants par temps humide, car cela peut provoquer la rouille des feuilles. **Récolte et conservation :** Récolter les feuilles au besoin puis quand la floraison ne peut plus être arrêtée, cueillir les plants et les sécher en petits bouquets, la tête en bas, dans un lieu sec et bien ventilé. Conserver les feuilles séchées entières (broyées, elles perdent vite leur parfum délicat). Les feuilles peuvent aussi être conservées congelées (après blanchiment de quelques secondes) ou dans le vinaigre ou l'huile d'olive (voir recettes). **Culture intérieure :** On recommande le basilic à petites feuilles. On doit à tout prix empêcher la plante de fleurir, car elle meurt dès qu'elle a donné ses graines. Le sol doit être riche, bien drainé et doit sécher entre les arrosages. Garder la plante au soleil, dans une pièce assez fraîche. Une taille fréquente fait ramifier le plant à la base et, ainsi, le renforcit.

Usages En cuisine, le basilic s'emploie dans les salades, avec les tomates, aubergines et poivrons, les champignons sauvages, les poissons cuits au court-bouillon, les œufs brouillés et le veau. Toutefois, le basilic dont l'essence est très volatile, ne doit jamais être mijoté mais ajouté aux plats seulement en fin de cuisson. Médicinalement, le basilic a des vertus toniques, stomachiques et antispasmodiques. L'essence de basilic, d'un prix assez élevé, s'emploie à raison de 2 à 5 gouttes sur un morceau de sucre, 3 fois par jour. Cette essence est aussi efficace contre les piqûres d'insectes (guêpes, etc.).

RECETTES

PISTOULE
(soupe provençale) (6-8 personnes)

2 litres (8 tasses) d'eau
500 g (1 lb) de haricots verts
8 grosses tomates, blanchies puis pelées
3-4 pommes de terre
Sel et poivre au goût
2-3 gousses d'ail
2-3 branches de basilic frais
3-4 c. à soupe d'huile d'olive
Croûtons au beurre à l'ail
Gruyère, râpé

Dans 2 litres (8 tasses) d'eau, jeter les haricots, les tomates et les pommes de terre coupées en morceaux. Saler et poivrer au goût puis mijoter 1 heure ou plus. Cinq minutes avant de servir, verser dans la soupe ce mélange précédemment préparé : ail écrasé, basilic haché, les deux doucement fondus dans l'huile. Servir avec les croûtons et le gruyère râpé.

SANTA LUCIA
(entrée italienne)

Par personne : 1 grosse tomate bien mûre
1 boule de mozzarella
Sel et poivre au goût
Basilic frais, haché
1 filet d'huile d'olive

Trancher la tomate et entre chaque tranche placer une tranche de fromage. Saler, poivrer et parsemer de basilic haché puis couvrir le tout d'un filet d'huile d'olive. Une entrée simple mais délicieuse, avec ou sans pain au beurre à l'ail.

CIABOTE

Par personne :
1 poivron vert, coupé en lamelles fines
1 gousse d'ail, hachée
15 ml (1 c. à soupe) d'huile d'olive
2 tomates blanchies, pelées et hachées
Sel et poivre au goût
2-3 c. à soupe de basilic frais, haché
2 œufs

Faire revenir le poivron et l'ail dans l'huile puis leur ajouter les tomates. Assaisonner puis ajouter le basilic. Mijoter 10-12 minutes puis casser les œufs en surface de la sauce et les cuire à l'étouffée jusqu'à ce que le blanc (mais non le jaune) soit cuit. Servir avec des tranches de pain frottées au beurre à l'ail et passées au four. Un autre plat simple mais délicieux.

SPAGHETTI AUX HARICOTS
(4 personnes)

450 g (1 lb) de spaghetti
450 g (1 lb) de haricots verts

SAUCE :
4 gousses d'ail
2 gros oignons
5-6 c. à soupe d'huile d'olive
8 grosses tomates blanchies, pelées et hachées
Un gros bouquet de basilic

Faire revenir l'ail et les oignons hachés dans l'huile puis leur incorporer les tomates et le basilic haché. Mijoter 15-20 minutes puis verser cette sauce sur les spaghettis et les haricots cuits (séparément, bien sûr) et mélangés.

RATATOUILLE D'ÉTÉ
(plat d'accompagnement)

2 gousses d'ail
2 gros oignons
4 c. à soupe d'huile d'olive
2 poivrons verts
1 aubergine moyenne
12 grosses tomates bien mûres
2 petites courgettes
Sel et poivre au goût
1 poignée de feuilles de basilic
1 pincée de safran (facultatif)

Faire revenir l'ail et les oignons hachés dans l'huile. Ajouter les poivrons et l'aubergine coupés en morceaux d'une bouchée. Mijoter 20 minutes puis ajouter les tomates coupées en gros quartiers. Mijoter 15 minutes encore puis ajouter les courgettes coupées en morceaux d'une bouchée, du sel et du poivre au goût. Quand les courgettes sont tendres, ajouter le basilic haché et le safran. Touiller, mijoter 15 minutes de plus et servir.

CANARD AU BASILIC
(4-6 personnes)

1 canard de 2 kg (4 lb) environ
Sel et poivre
100 ml (½ tasse) de cognac ou de brandy
250-500 ml (1-2 tasses) de Bordeaux
2 gros oignons, hachés
1 c. à soupe de thym
2 feuilles de laurier
2 c. à soupe de persil frais, haché
6-8 grains de piment de la Jamaïque
100 g (¼ de lb) de gras de porc
1 c. à soupe d'huile d'olive
1 gousse d'ail
250 g (½ lb) de champignons frais, tranchés
1 petit bouquet de basilic frais, haché

Couper le canard en morceaux, le placer dans un plat de verre. L'assaisonner (sel et poivre) puis le couvrir du cognac, du Bordeaux, de l'oignon, des herbes et du piment de la Jamaïque. Laisser macérer de 4 à 5 heures. Au bout de ce temps, égoutter le canard et l'assécher puis le faire dorer 20 minutes environ dans le gras de porc et l'huile d'olive. Ajouter le vin (filtré) dans lequel a trempé le canard puis l'ail et les champignons tranchés. Mijoter 1 heure ou jusqu'à ce que le canard soit tendre. Cinq minutes avant la fin de la cuisson, couvrir le canard de basilic frais haché. Servir avec la sauce réduite à feu vif et des nouilles au beurre.

PESTO
(4 personnes)

Le pesto est la version italienne du pistou provençal. Le nom provient de l'italien *pestare*, «piler». Ce mélange s'emploie avec les pâtes italiennes, les soupes de légumes et avec le millet ou le couscous. Le basilic employé doit être frais. Le pesto se conserve bien au congélateur.

2 gousses d'ail
10 branches de basilic frais (feuilles)
4 branches de persil frais
30 g (1 oz) de pignons (noix de pin) ou noisettes
20 g (¾ oz) de gros sel
200 ml d'huile d'olive
150 g (5 oz) de parmesan, râpé

Piler dans un mortier (ou passer au mélangeur) l'ail, le basilic, le persil, les pignons et le sel. Incorporer l'huile d'olive peu à peu jusqu'à l'obtention d'une émulsion (comme une mayonnaise). Ajouter enfin le fromage râpé.

BEURRE DE BASILIC

750 ml (3 tasses) de basilic frais, finement haché
100 g (½ tasse) de beurre
2 c. à thé (à café) de jus de citron

Bien mélanger le tout et, si désiré, le congeler. Excellent avec les pâtes italiennes, les œufs, les poissons et divers légumes. Il se conserve six mois environ au congélateur.

VINAIGRE D'AIL ET DE BASILIC
(pour 1,5 litre/6 tasses)

125 ml (½ tasse) de feuilles de basilic frais
1,25 litre (5 tasses) de vinaigre de cidre
3 gousses d'ail
125 ml (½ tasse) de feuilles de basilic (2 semaines plus tard)
125 ml (½ tasse) de vinaigre de vin rouge (3 semaines plus tard)
125 ml (½ tasse) d'eau bouillante (3 semaines plus tard)
3 branches de basilic (3 semaines plus tard)

Dans un chaudron de fonte émaillée, placer les feuilles de basilic légèrement écrasées puis les couvrir du vinaigre de cidre. Amener le tout à ébullition, à feu vif, puis retirer aussitôt du feu. Verser dans un pot de grès ou de verre, ajouter l'ail, couvrir et laisser macérer pendant 2 semaines. Au bout de ce temps, retirer le basilic et l'ail du vinaigre, y ajouter 125 ml (½ tasse) de feuilles de basilic, couvrir et laisser macérer 1 semaine encore. La semaine suivante, retirer le basilic du vinaigre, y ajouter le vinaigre de vin rouge et l'eau bouillante. Verser dans 3 pots d'un demi-litre (2 tasses) (ou des bouteilles) en plaçant dans chacun une branche de basilic.

HUILE DE BASILIC
(pour plats provençaux et italiens, salades, etc.)

1 litre (4 tasses) d'huile d'olive un peu fruitée
5 belles branches de basilic frais
6 gousses d'ail
1 échalote française

Laisser macérer le tout 2 mois avant de commencer à consommer.

La bourrache

« … réjouit les esprits vitaux et animaux
infestés par la bile noire… »
Nicolas Alexandre, 1716

Origine du nom *Borago officinalis*. Le nom vient des mots arabes *abu rach*, signifiant «père de la sueur» et qui font allusion aux propriétés sudorifiques de la plante.

Mythes et légendes Originaire d'Orient et connue depuis l'Antiquité, la bourrache est aujourd'hui cultivée surtout pour l'abondance et la beauté de ses petites fleurs bleues en étoile qui attirent les abeilles au jardin.

Description botanique De la famille de Borraginées, la bourrache peut atteindre 60 cm (24 po de hauteur). Une plante sauvage de la même famille, la vipérine, se prête aux mêmes usages que la bourrache. L'odeur de la plante est presque nulle. Toutefois, son goût rappelle celui du concombre avec une pointe de fétidité.

Mode de culture Semis : En pleine terre, en avril-mai. La semence prend de 10 à 12 jours à germer. La plante se ressème souvent d'elle-même. **Sol :** Sablonneux, léger. **Exposition :** Plein soleil. **Distance entre les plants :** 30 cm (12 po) (quelques plants suffisent généralement). **Soins :** Sarclages au début et arrosages en cas de sécheresse. La plante prend vite possession du sol. **Récolte et conservation :** Feuilles et fleurs se récoltent au besoin. La plante se conserve mal sauf dans le vinaigre que les fleurs colorent en bleu.

Usages En cuisine, les feuilles de bourrache hachées sont employées surtout en salades. On peut aussi en faire un thé glacé très rafraîchissant aux heures chaudes de l'été. Les feuilles peuvent aussi se manger cuites comme les épinards ou farcies comme les feuilles de vigne.

En infusion, à raison de 1 c. à soupe de fleurs dans 250 ml (1 tasse) d'eau (infuser 10 minutes), la plante a des vertus dépuratives et diurétiques.

RECETTE

FLEURS DE BOURRACHE CONFITES

Autant de fleurs que de sucre (en poids)

Récolter les fleurs puis les laisser tremper un peu dans l'eau froide. Les égoutter puis les presser délicatement avec les mains pour en extraire toute l'eau. Préparer un sirop léger (sucre et eau) puis y jeter les fleurs. Amener à ébullition et donner 7 bouillons, pas plus. Retirer le chaudron du feu et laisser refroidir complètement pour que les fleurs s'imprègnent de sucre. Retirer les fleurs du sirop une à une, les placer sur une plaque à biscuits et les laisser sécher complètement avant de les mettre dans une boîte au fond de laquelle on a placé une feuille de papier ciré. Conserver cette friandise dans un lieu frais mais sec. Les pétales de rose se confisent de la même façon.

Le carvi

« … un merveilleux remède pour ceux
que gênent les vents… »
Nicholas Culpeper

Origine du nom *Carum carvi*. Le nom provient de l'arabe *karwaia*.

Mythes et légendes Originaire d'Asie, la plante était déjà connue des peuples préhistoriques. Son histoire est cependant pauvre en légendes.

Description botanique Ombellifère bisannuelle à fleurs blanches minuscules et dont le feuillage ressemble à celui de la carotte, le carvi peut atteindre 60 cm (24 po) de hauteur. La plante se rencontre souvent à l'état sauvage, mais seules ses semences sont alors utilisées. L'odeur rappelle en même temps celles de la carotte et de l'anis. La saveur est chaude et piquante.

Mode de culture Semis : En pleine terre en avril ou, mieux, les semences gardant leur pouvoir germinatif peu de temps, en automne. **Sol :** Meuble, riche. **Exposition :** Plein soleil. **Distance entre :** Rangs : 45-60 cm (18-24 po), Plants : 10 cm (4 po). **Soins :** Sarclages et binages au besoin. **Récolte et conservation :** Récolter les semences (la deuxième année) quand elles commencent à tomber, les racines, en octobre novembre ou tôt le printemps suivant (comme le panais et le salsifis) ; garder alors quelques plants pour les semences. Les racines se conservent bien tout l'hiver.

Usages En cuisine, les semences de carvi facilitent la digestion d'aliments lourds comme la choucroute, les viandes grasses, les charcuteries, etc. Elles aromatisent agréablement le pain, les pommes de terre et les carottes, divers fromages (dont le munster) et liqueurs (Aquavit, Vespétro…). Les racines se consomment comme les carottes. On peut faire avec les tiges et les ombelles de la plante séchée de jolis petits balais.

En infusion, à raison de 1 c. à thé (à café) de graines dans 250 ml (1 tasse) d'eau, le carvi a des vertus carminatives, stimulantes et stomachiques. En essence, il s'emploie à raison de 1 à 3 gouttes sur un morceau de sucre, au besoin.

RECETTES

CHOU BLANC AU CARVI

1 petit chou blanc
Un peu de lard fumé
1 oignon, haché
Un peu de gras animal
Graines de carvi
Sel et poivre au goût
250 ml (1 tasse) de bouillon de légumes ou de poulet

Trancher le chou puis faire revenir le lard coupé en petits cubes et l'oignon dans un peu de gras animal. Ajouter le chou et le carvi et mélanger le tout avec un peu de poivre. Ajouter ensuite le bouillon, assaisonner et mijoter jusqu'à ce que le chou soit tendre mais encore croquant.

LIQUEUR DE CARVI
(kummel)

1 litre (4 tasses) d'alcool
40 g (1 ½ oz) de semences de carvi, légèrement pilées
200 g (1 tasse) de sucre

Faire macérer le tout pendant environ 2 semaines puis filtrer. À boire comme liqueur digestive après les repas.

Le cataire
(herbe à chats)

« Les chats recherchent cette plante avec avidité,
se roulent dessus et s'enivrent de son odeur... »
Marie-Victorin

Origine du nom *Nepeta cataria*. Le nom *cataria* fait allusion aux chats qui raffolent de cette plante qui leur est bénéfique, en hiver surtout.

Mythes et légendes Déjà connu des Romains, le cataire était employé au Moyen Âge comme herbe condimentaire dans les soupes et les ragoûts.

Description botanique Labiée vivace à feuilles dentées vert-grisâtre et à fleurs roses, bleues ou blanches. La plante peut atteindre 50 cm (20 po) de hauteur. Le cataire se rencontre occasionnellement à l'état sauvage. L'odeur est en même temps menthée et légèrement camphrée.

Mode de culture Semis : En pleine terre, en avril. La plante se ressème facilement d'elle-même. **Sol :** Meuble, peu exigeant. **Exposition :** Soleil ou demi-ombre. **Distance entre les plants :** 30 cm (12 po) (quelques plants suffisent généralement). **Soins :** Sarclages au début. Mais le soin principal consiste à protéger les jeunes plants contre les chats qui les dévorent entièrement. **Récolte et conservation :** Récolter la plante entière (sauf bien sûr, la racine) pendant ou peu après la floraison. La plante sèche très facilement.

Usages À raison de 1 c. à soupe de feuilles séchées par 250 ml (1 tasse) d'eau, l'infusion est riche en vitamines A et C et a des vertus toniques et digestives. On la dit excellente contre les maux de tête. Les jeunes pousses de la plante peuvent se manger en salade au printemps.

Le cerfeuil

« … Le temps ravive le cerfeuil.
Je ne veux pas être tout seul.
Quand l'hiver tournera de l'œil… »
Je reviens chez nous, Jean-Pierre Ferland

Origine du nom *Cerefolium sativum*. Le nom provient du grec *kairephyllon*, «feuille de Cérès», déesse des moissons.

Mythes et légendes Originaire du Moyen-Orient, le cerfeuil fut introduit en France lors des Croisades, d'abord comme plante médicinale. Pour les Grecs et les Romains, c'est une plante qui symbolisait la résurrection et le rajeunissement. Il est de tradition, dans certains pays d'Europe, de manger de la soupe au cerfeuil le Jeudi saint.

Description botanique Ombellifère annuelle à feuilles triangulaires finement découpées et à petites fleurs blanches puis fruits allongés noirâtres, le cerfeuil peut atteindre 30 cm (12 po) de hauteur. Il existe une variété de cerfeuil bulbeux dont la culture pourrait être tentée au Québec. Les feuilles froissées dégagent un parfum très agréable qui rappelle en même temps ceux de la réglisse et du persil.

Mode de culture Semis : En pleine terre, fin avril, soit à la volée, soit sur un bout de rang. On peut répéter ce semis à quelques reprises. Les semences prennent généralement 2 semaines à germer. La plante se ressème souvent d'elle-même. **Sol :** Meuble, riche en humus et azote. **Exposition :** Soleil ou demi-ombre (pour retarder la floraison qui se fait rapidement). **Distance entre les plants :** 10 cm (4 po). **Soins :** Sarclages et arrosages par temps sec. On peut prolonger la vie de la plante en taillant le plus tôt possible ses tiges florales. **Récolte et conservation :** Prêtes à être cueillies au bout de 6 semaines de croissance, les feuilles doivent être séchées à l'ombre, en petits bouquets, le plus rapidement possible, bien qu'elles perdent ainsi beaucoup de leur parfum et qu'il soit préférable de toujours les employer fraîches. On peut récolter les semences, soit pour des semis ultérieurs, soit pour les utiliser comme condiment. Le cerfeuil se congèle assez bien tel quel ou après avoir été blanchi quelques secondes, pas plus, en eau bouillante. **Culture intérieure :** Assez facile, quoique la plante ait une courte durée de vie.

Usages En cuisine, il entre dans nombre de recettes (soupes, salades, omelettes, etc.). C'est un ingrédient habituel des bouquets garnis ou mélanges de fines herbes (voir Index des recettes). Comme le basilic, la menthe et le persil dont les huiles sont très volatiles, n'ajouter le cerfeuil à un plat qu'à la toute dernière minute de cuisson. Deux plantes sauvages peuvent servir de substitut au cerfeuil. Ce sont l'achillée millefeuille (ou herbe à dindes) et la cryptoténie du Canada (consulter la *Flore Laurentienne* de Marie-Victorin pour leur description).

RECETTES
• • • • • • • • • • • • • •

SOUPE AU CERFEUIL
(4 personnes)

100 g (4 oz) de fleurs ou feuilles de cerfeuil
100 g (½ tasse) de beurre
1 litre (4 tasses) d'eau salée au goût
6-8 c. à soupe de cerfeuil, finement haché
4 œufs, battus
Croûtons au beurre à l'ail

Faire revenir le cerfeuil dans le beurre jusqu'au point d'ébullition. Ajouter l'eau par petites quantités puis laisser mijoter 5 minutes. Jeter le cerfeuil haché dans la soupe et verser celle-ci sur les œufs battus dans la soupière. Servir aussitôt avec des croûtons frottés au beurre à l'ail.

CRÈME DE CERFEUIL
(4 personnes)

1 gros bouquet de cerfeuil
30 g (2 c. à soupe) de beurre
1 litre (4 tasses) de sauce béchamel légère
(à base de bouillon de poulet)
250 ml (1 tasse) de crème fraîche
3-4 c. à soupe de cerfeuil, finement haché

Faire fondre doucement le cerfeuil haché dans le beurre pendant 5-6 minutes, à l'étouffée. Ajouter ensuite la béchamel et mijoter 10-12 minutes puis passer le tout au mélangeur. Ajouter la crème et réduire le tout à bonne ébullition pendant 5 minutes et en brassant constamment. Servir avec des croûtons après avoir parsemé la soupe de cerfeuil frais. On peut faire la même crème avec divers légumes (cresson, oseille, orties, poireaux, etc.).

POMMES DE TERRE AU CERFEUIL
(6 personnes)

1 kg (2 lb) de pommes de terre
1 bouquet de cerfeuil frais
Sel, poivre, eau
1 grosse noix de beurre

Peler les pommes de terre et les trancher finement. Hacher grossièrement le cerfeuil. Dans un chaudron à fond épais, alterner les couches de pommes de terre et de cerfeuil. Assaisonner au goût puis couvrir d'eau. Cuire doucement à l'étouffée 20-30 minutes, jusqu'à ce que toute l'eau ait été absorbée. Jeter le beurre sur les pommes de terre avec un peu de cerfeuil frais haché finement et servir aussitôt. On peut faire le même plat avec des verts de poireaux émincés.

OMELETTE AU CERFEUIL

Procéder comme pour l'Omelette aux fines herbes (p. 158) mais en n'employant que du cerfeuil frais.

SAUCE BÉARNAISE
(pour viandes grillées)

2-3 échalotes françaises
1 petite branche d'estragon frais
3 branches de cerfeuil frais
2 c. à soupe de vin blanc
2 c. à soupe d'eau froide
4 jaunes d'œufs
250 g (1 tasse) de beurre, ramolli (mais non fondu)
Sel et poivre au goût
1 c. à soupe de cerfeuil frais, haché
1 c. à soupe d'estragon frais, haché

Émincer les échalotes et les fines herbes puis les jeter dans une petite poêle, les couvrir de vin blanc et laisser mijoter jusqu'à ce que le vin soit presque entièrement évaporé. Ajouter l'eau aux herbes et mettre de côté. Placer les jaunes d'œufs dans la partie supérieure d'un bain-marie déjà chaud, leur incorporer les herbes puis le beurre par petites quantités en prenant soin de battre le mélange uniformément jusqu'à ce que le tout prenne la consistance d'une mayonnaise. Assaisonner au goût. Servir très chaud et parsemer de cerfeuil et d'estragon frais hachés. Une des grandes sauces classiques excellente avec les steaks et côtelettes grillés.

SAUCE CHAUDE OU FROIDE AU CERFEUIL

À de la crème sure (pour la sauce froide), ajouter du cerfeuil frais finement haché puis assaisonner au goût. Pour la sauce chaude, remplacer la crème sure par de la Sauce béchamel (voir p. 166).

VINAIGRE DE CERFEUIL

500 ml (2 tasses) de cerfeuil frais, émincé
500 ml (2 tasses) de vinaigre de vin blanc

Mettre 250 ml (1 tasse) de cerfeuil à macérer dans le vinaigre pendant 24 heures. Passer le vinaigre au tamis et répéter l'opération avec le reste du cerfeuil. Embouteiller le vinaigre dont on peut se servir dans les salades.

ESSENCE DE CERFEUIL

Infuser du cerfeuil dans du vin blanc puis passer et réduire.

BOUILLON AUX HERBES
(laxatif)

Une poignée de chacune des plantes suivantes : cerfeuil, oseille, bettes à cardes et laitue. Cuire dans 1 litre (4 tasses) d'eau et boire le bouillon ou ajouter sel au goût, un peu de beurre et manger comme une soupe.

EAU NETTOYANTE POUR LA PEAU

Mijoter une grosse poignée de cerfeuil dans 1 litre (4 tasses) d'eau. Laver le visage avec cette eau réputée antirides. L'eau d'hamamélis vendue dans le commerce est aussi excellente.

La ciboulette

« Quiconque a mangé de cibouille (ciboulette) de
baisers personne ne souille. »
Épigrammes de Martial

Origine du nom *Allium Schœnoprasum*. Le nom provient du latin
cepula qui signifie « petit oignon ».

Mythes et légendes Déjà connue des Chinois il y a plus de deux
mille ans puis des Égyptiens, la ciboulette se vendait à la criée au
Moyen Âge sous le nom d'« appétits ».

Description botanique De la famille des alliacées (ail, oignon,
poireau), la ciboulette est une vivace rustique à feuilles filiformes
et boules de fleurs mauves ornementales dans une rocaille ou
au jardin de fleurs. La plante peut atteindre 25-40 cm (10-16 po)
de hauteur.

Mode de culture Semis : En pleine terre en avril ou mieux (pour
en avoir plus vite), par achat de plants ou semis intérieur en mars.
Les graines prennent généralement 10 jours à germer. La plante
se ressème d'elle-même. **Sol :** Riche, meuble et bien fumé.
Exposition : Soleil ou demi-ombre. **Distance :** Semer à la volée.
Soins : Sarclages au début, binages. À l'automne, raser les touffes
pour renforcir les bulbes. Engraisser le sol chaque année. **Récolte
et conservation :** Couper au besoin. Séchage possible mais de
peu de profit. Les fleurs peuvent être confites dans le vinaigre
pour servir de condiment. Blanchie quelques secondes en eau
bouillante, la ciboulette se congèle très bien. **Culture intérieure :**
La plante exige beaucoup de lumière, d'air frais, d'humidité et un
sol riche. On peut la remplacer par les feuilles d'ail chinois ou d'ail
des bois.

Usages De valeur alimentaire comparable à celle de l'oignon, la
ciboulette s'emploie dans les soupes (ajouter à la dernière
minute), les salades, les omelettes et avec diverses viandes.

RECETTES
• • • • • • • • • • • • •

PAIN À LA CIBOULETTE

Beurre
Ciboulette
Sel et poivre
Un pain frais

Préparer un beurre de ciboulette (procéder comme pour le Beurre à l'ail, p. 36) et l'assaisonner au goût. Trancher le pain, beurrer les tranches puis reformer le pain et le mettre dans du papier d'aluminium. Cuire au four à 175 °C (350 °F) pendant 15-20 minutes.

BISCUITS À LA CIBOULETTE
(24 environ)

450 g (4 tasses) de farine, tamisée
4 c. à thé (à café) de levure chimique (poudre à pâte)
1 c. à thé (à café) de sel
90 g (6 c. à soupe) de beurre
5 c. à soupe de ciboulette, hachée
⅛ de c. à thé (à café) de romarin, haché
½ c. à thé (à café) de poudre d'ail
275 ml (1 ⅛ tasse) de lait

Mélanger la farine, la levure chimique et le sel. Incorporer le beurre puis la ciboulette et le romarin. Mettre la poudre d'ail dans le lait, incorporer celui-ci au premier mélange et faire du tout une pâte assez molle. Rouler sur une planche enfarinée à 1 cm (½ po) d'épaisseur. Découper en rondelles et cuire à 225 °C (425 °F environ) pendant 12-15 minutes.

SAUCE TARTARE

250 ml (1 tasse) de mayonnaise préparée
1 branche de persil frais, émincé
1 branche d'estragon frais, émincé
1 petit paquet de ciboulette, émincée
2-3 petits cornichons sucrés, finement hachés
1 c. à thé (à café) de moutarde de Dijon
Un peu de vinaigre de vin blanc

À la mayonnaise, ajouter les fines herbes et les cornichons puis la moutarde. Bien mélanger le tout et allonger au goût avec le vinaigre. Excellent avec les fruits de mer et les poissons froids ou chauds.

La coriandre

« Pour l'estomac vous pouvez prendre
De la graine de coriandre
Les vents à son approche, ou par haut ou par bas
Sortent à petits bruits ou même avec fracas… »
École de Salerne

Origine du nom *Coriandrum sativum*. Le nom provient des mots grecs *koris* et *andros* qui signifient « mari de la punaise », par allusion à l'odeur désagréable des graines fraîches.

Mythes et légendes Probablement originaire de la Méditerranée orientale, l'histoire de la coriandre se perd dans la nuit des temps. Bien qu'autrefois considérée comme vénéneuse par certains peuples, on s'en servait dans certains rites religieux ou pour rendre les vins plus capiteux.

Description botanique Ombellifère annuelle à fleurs blanches ou rosées, la coriandre peut atteindre 30 à 60 cm (12 à 24 po) de hauteur. Les feuilles dégagent une odeur à la fois anisée et fétide, très entêtante, qui en limite l'emploi.

Mode de culture **Semis :** En pleine terre, fin avril. Contrairement aux autres ombellifères (aneth, anis…), la coriandre garde son pouvoir germinatif durant plusieurs années. La plante se ressème souvent d'elle-même. **Sol :** Sablonneux, léger. **Exposition :** Plein soleil. **Distance entre les plants :** 25 cm (10 po) (une douzaine de plants suffisent généralement). **Soins :** Sarclages au besoin, arrosages en cas de sécheresse. **Récolte et conservation :** Récolter les feuilles au besoin, les graines quand elles tournent au brun, généralement fin août. Respirée de trop près, surtout par temps pluvieux, la plante peut provoquer des étourdissements. Toutefois, l'odeur de punaise des graines disparaît quand elles sèchent.

Usages En cuisine, les feuilles s'emploient dans diverses recettes. Les graines moulues servent à aromatiser le riz, les omelettes, la purée de pommes de terre, les biscuits et les pains d'épices. Elles entrent aussi dans la confection de certaines liqueurs (Chartreuse…) et, en parfumerie, leur essence donne un parfum comparable à celui du muguet. Marinées dans le vinaigre, elles servent à aromatiser certaines viandes (agneau…). Enfin, quelques graines de coriandre mâchées neutralisent bien l'odeur de l'ail. Médicinalement, à raison de 1 c. à thé (à café) de graines légèrement écrasées dans 250 ml (1 tasse) d'eau, la coriandre est stimulante, carminative et digestive. L'essence s'emploie à raison de 1 à 3 gouttes sur un morceau de sucre, 3-4 fois par jour. La coriandre doit être utilisée avec discrétion car, à hautes doses, après une action euphorisante, et même enivrante, elle devient déprimante.

RECETTES
••••••••••••

POULET INDIEN À LA CORIANDRE
(4 personnes)

3 gousses d'ail
1 c. à thé (à café) de gingembre moulu
1 gros oignon
5-6 c. à soupe d'huile de cuisson
1 c. à thé (à café) de sel
4 cuisses ou demi-poitrines de poulet
625 ml (2 ½ tasses) d'eau chaude
500 ml (2 tasses) de yogourt
¼ de poivron fort ou doux, émincé
1 bouquet de feuilles de coriandre
½ c. à thé (à café) de curcuma
1 c. à thé (à café) de garam masala (voir recette suivante)

Faire une pâte avec l'ail broyé et le gingembre. Ensuite, faire revenir l'oignon émincé dans l'huile puis ajouter la pâte d'ail et le sel et mijoter 5 minutes. Dorer le poulet dans cette sauce puis ajouter l'eau chaude, couvrir et mijoter jusqu'à ce que le poulet soit tendre. Retirer le poulet et le garder au four dans un plat de service. Réduire la sauce puis incorporer le yogourt, le poivron, la coriandre, le curcuma et le garam masala et amener à ébullition en brassant bien. Couvrir le poulet de cette sauce et servir aussitôt avec du riz blanc.

GARAM MASALA
(mélange d'épices indien)

200 g (7 oz) de graines de coriandre
100 g (4 oz) de graines de cumin
100 g (4 oz) de graines de cardamome
50 g (2 oz) de cannelle de Ceylan
200 g (7 oz) de grains de poivre noir
100 g (4 oz) de clous de girofle
1 c. à thé (à café) de muscade

Rôtir les graines de coriandre et de cumin séparément. Peler les cardamomes après les avoir fait tremper dans un peu d'eau bouillante. Moudre les épices et les mélanger à la muscade râpée. Garder dans un contenant hermétique. Ce mélange s'emploie dans un grand nombre de recettes indiennes (Inde).

CHAMPIGNONS À LA GRECQUE

Préparer d'abord ce court-bouillon: simplement mijoter à l'étouffée tous les ingrédients suivants, sauf les champignons, pendant 10 minutes:

500 ml (2 tasses) d'eau
6 c. à soupe d'huile d'olive
80 ml (⅓ de tasse) de jus de citron
½ c. à thé (à café) de sel
2 c. à soupe d'échalotes françaises, émincées
6 branches de persil
1 branche de céleri en feuilles
(ou ⅛ de c. à thé (à café) de graines de céleri)
1 branche d'aneth ou de fenouil (ou ⅛ de c. à thé (à café) de graines de fenouil)

1 branche de thym (ou ⅛ de c. à thé (à café) de thym séché)
12 grains de poivre noir
6 graines de coriandre
450 g (1 lb) de champignons

Pendant ce temps, préparer 450 g (1 lb) de champignons, en les gardant entiers s'ils sont petits, en les coupant en 2 ou 4 s'ils sont gros. Les mijoter 10 minutes dans le court-bouillon dont on a retiré les herbes et épices puis les retirer du liquide. Réduire alors le bouillon à feu vif jusqu'à ce qu'il n'en reste plus que 80 ml (⅓ de tasse). Vérifier les assaisonnements puis couvrir les champignons de cette sauce. Ce plat qu'on parsème de persil ou d'aneth frais avant de le servir peut se conserver 2-3 jours au réfrigérateur. On peut préparer de la même façon les fonds d'artichaut, les cœurs de céleri, les blancs de poireau et le fenouil doux sauf qu'il faut alors les mijoter 20-30 minutes ou jusqu'à ce qu'ils soient tendres.

CHUTNEY INDIEN À LA CORIANDRE
(pour 2 tasses)

65 ml (¼ de tasse) de jus de citron
65 ml (¼ de tasse) d'eau
500 ml (2 pleines tasses) de feuilles et tiges
de coriandre fraîche
65 ml (¼ de tasse) de noix de coco râpée
65 ml (¼ de tasse) d'oignon, émincé
2 c. à soupe de gingembre frais, finement haché
2 c. à thé (à café) de poivron fort, finement haché
1 c. à thé (à café) de sel
1 c. à thé (à café) de sucre
¼ de c. à thé (à café) de poivre noir moulu

Passer d'abord au mélangeur le jus de citron, l'eau et la coriandre puis le reste des ingrédients. Ce chutney se sert avec les viandes au curry. Il peut se garder 1 semaine au réfrigérateur.

FORMULES DE CARI
(CURRY) INDIEN

25 g (1 oz) de coriandre
5 g (¼ oz) de curcuma
5 g (¼ oz) de poivre noir
5 g (¼ oz) de poivre de Cayenne
ou
60 g (2 ½ oz) de coriandre
30 g (1 oz) de cardamome
15 g (½ oz) de curcuma
25 g (1 oz) de piment jaune

Rôtir doucement les graines de coriandre puis les moudre et ajouter le reste des épices moulues. Excellent dans le riz et nombre de recettes.

PARFAIT AMOUR
(liqueur digestive et, dit-on, aphrodisiaque)

1 litre (4 tasses) d'alcool 94°
15 g (½ oz) de thym frais
5 g (¼ oz) de gousses de vanille
5 g (¼ oz) de macis entier
5 g (¼ oz) de cannelle, concassée
5 g (¼ oz) de graines de coriandre
20 g (¾ oz) de zeste de citron, râpé
500 ml (2 tasses) d'eau
200 g (1 tasse) de sucre

Faire macérer les ingrédients (sauf l'eau et le sucre) dans un grand pot de grès ou de verre hermétiquement fermé pendant 21 jours. Filtrer le tout puis faire un sirop avec le sucre et l'eau et l'ajouter à l'alcool. Conserver dans des bouteilles stérilisées et boire comme liqueur digestive après les repas.

L'estragon

« … c'est une des salades les plus agréables
qui n'a besoin ni de sel, ni de vinaigre,
car elle possède le goût de ces deux condiments… »

Ruellius

Origine du nom *Artemisia dracunculus.* Le nom vient du latin *dracunculus* qui signifiait « petit dragon », probablement par allusion à la forme des racines entremêlées de la plante qui évoque un dragon.

Mythes et légendes Originaire de Sibérie, la plante fut introduite en Europe vers le Moyen Âge. À cette époque, pour se prémunir contre la fatigue, les pèlerins en partance vers la Terre Sainte en garnissaient l'intérieur de leurs sandales. De même, comme son nom l'indique, on croyait que la plante protégeait des morsures des petits serpents et… des dragons.

Description botanique Composée vivace, l'estragon est une plante buissonnante à petites feuilles étroites et fleurs blanchâtres toujours stériles. C'est pourquoi les semences d'estragon vendues dans le commerce donnent une plante dont la valeur condimentaire est presque nulle. On ne peut se procurer d'estragon véritable qu'en plants. Ceux-ci peuvent atteindre 70 cm (28 po) de hauteur. L'odeur et la saveur de la plante sont en même temps anisées et légèrement poivrées, pénétrantes et très agréables.

Mode de culture Multiplication : Jamais par semis mais division de racines en automne ou prélèvement de jeunes boutures au printemps. **Sol :** Léger, riche, bien drainé. **Exposition :** Plein soleil. **Distance entre les plants :** 30-40 cm (12-16 po) (quelques plants suffisent généralement). **Soins :** Sarclages normaux, taille des plants en automne et protection des plants en hiver (paillis). Diviser la plante tous les 4-5 ans. **Récolte et conservation :** Récolter les feuilles au besoin. Les feuilles se conservent bien par séchage ou en beurre, vinaigre ou essence (voir plus loin). **Culture intérieure :** Assez facile.

Usages En cuisine, l'estragon parfume bien les volailles, les viandes grillées (veau surtout), les plats aux œufs, les salades et les marinades. Contrairement aux herbes à huiles volatiles (pour rappel : basilic, cerfeuil, menthe et persil), l'estragon supporte assez bien la cuisson. La saveur brûlante des feuilles en fait, une fois celles-ci séchées et broyées, un excellent succédané du sel et du poivre, pour ceux qui doivent les éliminer de leur régime. Médicinalement, l'estragon est surtout un stimulant de l'appareil digestif. Comme digestif ou contre le hoquet, l'essence s'emploie à raison de 3 à 5 gouttes dans 250 ml (1 tasse) d'eau chaude ou sur un cube de sucre. L'infusion qui se fait à raison de 25 g (1 oz) de feuilles dans un litre (4 tasses) d'eau est aussi excellente.

RECETTES

POTAGE À L'ESTRAGON
(4 personnes)

200 g (7 oz) de feuilles d'estragon frais
125 ml (½ de tasse) de vin blanc sec
1 litre (4 tasses) de Sauce béchamel claire (voir p. 166)
Sel et poivre au goût
1 noix de beurre

Hacher grossièrement l'estragon puis ajouter le vin et mijoter jusqu'à réduction complète du liquide. Ajouter la béchamel, assaisonner puis passer au mélangeur ou au tamis. Réchauffer doucement mais sans bouillir puis ajouter le beurre. Servir aussitôt avec des croûtons frottés au beurre à l'ail.

POULET À L'ESTRAGON

(4-6 personnes)

1 petit bouquet d'estragon
45 g (3 c. à soupe) de beurre
1 poulet de 2 kg (4 lb) environ
Eau chaude (ou bouillon de poulet)
Sel et poivre au goût
2 carottes, tranchées
1 pincée de thym
2 petits oignons en quartiers
1 clou de girofle
2 branches d'estragon (feuilles)
Farine grillée

Hacher l'estragon et le mélanger au beurre puis badigeonner l'intérieur du poulet de ce mélange et le coudre. Placer le poulet dans la cocotte, le couvrir à moitié d'eau chaude ou de bouillon. Ajouter les autres ingrédients, sauf les deux derniers, et cuire jusqu'à ce que le poulet soit tendre. Retirer le poulet, le découper et disposer sur un plat de service qu'on garde à four chaud. Prendre 250 ml (1 tasse) du bouillon de cuisson et le réduire à feu vif jusqu'à ce qu'il ne reste plus qu'un résidu brun au fond de la poêle. À ce résidu, ajouter graduellement 250-500 ml (1-2 autres tasses) du premier bouillon puis épaissir le tout avec un peu de farine grillée. Rajouter des feuilles d'estragon à cette sauce dont on nappe le poulet. Garnir le plat d'estragon haché. Cette recette est un grand classique de la cuisine française.

ANGUILLES AU VERT
(4 personnes)

150 g (5 oz) d'épinards frais
1 grosse poignée de cresson ou d'oseille
1 petit bouquet de cerfeuil
1 petit bouquet de persil
2 branches de menthe
1 branche de thym
1 branche d'estragon
Quelques feuilles de sauge
100 g (½ tasse) de beurre
1 kg (2 lb) d'anguilles, nettoyées et dépouillées
250 ml (1 tasse) de vin blanc sec
Sel et poivre au goût
2 jaunes d'œufs
Le jus d'un citron

Faire revenir toutes les herbes (feuilles entières) dans le beurre et mijoter 2-3 minutes. Couper les anguilles en tronçons de 5 cm (2 po), les ajouter aux herbes et cuire 5 minutes en retournant souvent le tout. Ajouter ensuite le vin, le sel et le poivre, couvrir et mijoter 15 minutes. Battre les jaunes d'œufs, leur incorporer 125 ml (½ tasse) du liquide de cuisson puis verser sur les anguilles sans cesser de remuer le tout. Ajouter enfin le jus de citron. Servir froid ou chaud. Un autre grand classique de la gastronomie française.

SAUCE AU ROQUEFORT
(pour salade ou comme trempette à croustilles)

10 g (½ oz) de Roquefort ou fromage bleu
250 ml (1 tasse) de crème sure
1 belle branche d'estragon (feuilles)
Sel et poivre au goût
Quelques gouttes de jus de citron

Écraser le Roquefort à la fourchette puis incorporer petit à petit la crème sure. Ajouter les autres ingrédients et bien battre à la fourchette. Sauce excellente, de mon invention, surtout avec la romaine.

BEURRE D'ESTRAGON
(pour viandes et poissons grillés)

100 g (½ tasse) de beurre
1 c. à soupe de jus de citron
2-3 c. à soupe de feuilles d'estragon, hachées
Sel et poivre au goût

Défaire le beurre en crème puis, goutte à goutte, incorporer le jus de citron puis l'estragon. Assaisonner au goût. Ce beurre peut se conserver au congélateur.

VINAIGRE À L'ESTRAGON

1 grosse branche d'estragon
500 ml (2 tasses) de vinaigre de cidre ou de vin blanc

Laisser macérer l'estragon dans le vinaigre. Celui-ci s'emploie avec le jus de tomates ou de légumes, les œufs brouillés, les poissons, les champignons et les salades.

ESTRAGONETTE
(liqueur digestive)

1 belle branche d'estragon
1 litre (4 tasses) d'alcool 94°
3 c. à soupe de sucre
Eau

Laisser macérer l'estragon dans l'alcool pendant 2 semaines puis le retirer. Faire un sirop léger avec le sucre et l'eau et l'ajouter à l'alcool. Boire comme digestif après les repas.

ESSENCE D'ESTRAGON

Infuser de l'estragon frais dans du vin blanc puis passer et réduire.

HUILE À L'ESTRAGON

1 litre (4 tasses) d'huile légère (arachides ou autre)
1 gousse d'ail entière
1 clou de girofle
3 branches d'estragon

Laisser macérer le tout 2 mois avant de commencer à consommer.

SAUCE CAFÉ DE PARIS
(pour entrecôtes)
(4 personnes)

200 g (1 tasse) de beurre défait en crème
1 poignée de feuilles d'estragon frais, haché
Thym, romarin, marjolaine, basilic, livèche
½ c. à thé (à café) de sel d'herbes
Quelques gouttes de sauce Worcestershire
2 gousses d'ail, broyées
1 c. à soupe de moutarde forte (type Dijon)
3-4 c. à soupe de pastis
Quelques gouttes de jus de citron
Crème 35 %

Préparer une sauce avec tous ces ingrédients (sauf la crème) et laisser reposer avant d'utiliser. Quand les entrecôtes sont bien grillées, les garder au four chaud entre deux assiettes. Déglacer la poêle avec le beurre et y ajouter la crème 35 % jusqu'à consistance voulue. Verser sur la viande et servir aussitôt. Recette originaire de Suisse.

Le fenouil

« Madame de Thianges, lorsqu'elle eut renoncé aux joies de ce monde, cache sa gorge et ne se met plus de rouge aux joues. L'autre jour, je me trouvai à côté d'elle à dîner. Un laquais lui présenta un verre de "fenouillette" et elle me dit : « "Madame, ce garçon ne sait donc pas que je suis dévote.". »

Madame de Sévigné

Origine du nom *Fœniculum vulgare*. Du latin populaire *feniculus*, « petit foin ».

Mythes et légendes Originaire du bassin méditerranéen et connu depuis la plus haute Antiquité, le fenouil avait la réputation de protéger contre les morsures de serpent et de scorpion.

Description botanique Ombellifère annuel proche parent de l'aneth (qu'on lui préfère généralement au Québec), le fenouil a des feuilles très découpées et porte des ombelles de petites fleurs jaunes. La plante peut atteindre 2 mètres (6 pieds) de hauteur. L'odeur de la plante est anisée, sucrée, parfumée et très agréable.

Mode de culture **Semis :** Semis intérieur en avril, mise en pleine terre à la mi-juin (c'est une plante très sensible au froid). Le fenouil dit « de Florence » est cultivé pour ses pétioles charnus et parfumés et se plante vers la mi-juin en pleine terre. C'est un légume de croissance rapide qui exige un sol meuble et bien fumé. **Sol :** Riche, léger, frais et bien drainé. **Exposition :** Plein soleil. **Distance entre les plants :** 60 cm (24 po), Fenouil de Florence : 20 cm (8 po). **Soins :** Sarclages au besoin, arrosages en cas de sécheresse. **Récolte et conservation :** Récolter les feuilles de l'herbe au besoin, les semences, à maturité. Récolter le fenouil de Florence avant qu'il ne commence à fleurir, car il a très vite tendance à se lignifier ; utiliser comme le céleri. Les racines sont aussi comestibles.

Usages En cuisine, les feuilles fraîches aromatisent les courts-bouillons de poissons, divers légumes (surtout concombres, tomates, pommes de terre, choux, navets) et les salades. Les semences s'emploient comme celles de l'anis ou du carvi. L'essence rendrait les animaux craintifs.

Médicinalement, à raison de 1 c. à thé (à café) de semences par 250 ml (1 tasse) d'eau, le fenouil est un stimulant des voies digestives.

RECETTES

(On peut, dans toutes les recettes données pour l'aneth, remplacer ce dernier par le fenouil.)

FENOUIL GRATINÉ

Oignons, hachés
Thym
Huile d'olive
Tiges tendres de fenouil ou fenouil de Florence
Sauce béchamel
Sel, poivre, thym, muscade
Gruyère, râpé
Paprika

Faire blondir les oignons assaisonnés de thym dans l'huile d'olive puis placer par-dessus les tiges de fenouil pelées. Cuire à l'étouffée 30 minutes ou plus. Quand les tiges sont tendres, les placer au fond d'un plat pouvant aller au four, napper généreusement de béchamel assaisonnée de sel, poivre, thym et muscade. Couvrir de gruyère râpé, saupoudrer de paprika et cuire à 175 °C (350 °F).

FENOUILLETTE

Procéder comme pour l'Anisette (p. 44) en remplaçant l'anis par des graines de fenouil.

POUDRE DENTIFRICE I

30 g (1 oz) de graines de fenouil en poudre
30 g (1 oz) de charbon de peuplier, broyé
30 g (1 oz) de quinquina gris, broyé

Employer comme poudre dentifrice. Autre recette simple : couper une aubergine, la saupoudrer de gros sel et la faire carboniser au four puis en faire une poudre excellente pour blanchir les dents.

MASQUE AU FENOUIL

65 ml (¼ de tasse) d'infusion concentrée de fenouil
65 ml (¼ de tasse) de miel
65 ml (¼ de tasse) de lait
15 g (½ oz) de pectine

Préparer l'infusion de fenouil puis la laisser refroidir. La mélanger ensuite au miel et au lait. Incorporer enfin, petit à petit, en battant bien le mélange, la pectine. Laisser reposer 8-12 heures avant d'employer.

L'hysope

« Aspergez-moi avec un rameau d'hysope
et je serai pur... »
Psaume 50

Origine du nom *Hyssopus officinalis*. Le nom est d'origine hébraïque, *ezôb*.

Mythes et légendes Originaire de Sibérie et de l'Iran, l'hysope fut très employée dans l'Antiquité et au Moyen Âge pour parfumer soupes, farces et rôtis. La plante était aussi utilisée dans les rites religieux de nombreux peuples.

Description botanique Labiée vivace, l'hysope forme un petit buisson à feuilles étroites vert-blanchâtre et épis de fleurs bleues (parfois roses ou blanches) et dont la taille peut atteindre 40-50 cm (18-20 po) de hauteur. La plante se rencontre occasionnellement à l'état sauvage. L'odeur de la plante est forte, légèrement camphrée mais agréable. La saveur est brûlante et amère.

Mode de culture Semis : Semis en pleine terre fin avril ou par division de touffes en automne. **Sol :** Calcaire, léger, riche en humus, bien drainé. **Exposition :** Plein soleil. **Distance entre les plants :** 30 cm (12 po). **Soins :** Sarclages au besoin. Tailler les plants en automne et les protéger d'un paillis épais. Diviser les plants tous les 3-4 ans. **Récolte et conservation :** Récolter les feuilles au besoin, la plante au début de la floraison. L'hysope se conserve bien séchée.

Usages En cuisine, la plante n'est plus guère utilisée, toujours avec discrétion, qu'avec les viandes grasses (porc), les poissons gras (carpe) ou dans les salades. Elle entre dans la confection de liqueurs comme le pastis et la Grande Chartreuse. Très mellifère, l'hysope trouve aussi sa place dans une rocaille ou au jardin de fleurs.

Médicinalement, l'hysope a des vertus toniques, stomachiques et béchiques. Toutefois, c'est, à trop fortes doses, une plante qui peut provoquer l'épilepsie. En infusion, on l'emploie à raison de 10 à 20 g (½ à 1 oz) de feuilles et fleurs dans 1 litre (4 tasses) d'eau.

RECETTE
• • • • • • • • • • •

FILETS DE PORC FARCIS À L'ALLEMANDE
(4 personnes)

2 filets de porc, coupés en deux, de biais
500 g (1 lb) d'oignons, hachés
500 g (1 lb) de chanterelles
Huile
Sel et poivre au goût
Hysope
Feuilles de laurier
250 ml (1 tasse) de vin blanc
250 ml (1 tasse) d'eau chaude
Farine grillée
Un peu de crème épaisse

Couper les filets en deux, de biais, puis sur le sens de la longueur de manière à pouvoir les farcir. Faire revenir 100 g (3 oz) d'oignon et 100 g (3 oz) de chanterelles hachés dans un peu d'huile et assaisonner. Saler et poivrer l'intérieur des filets, les farcir en ajoutant un peu d'hysope hachée. Ficeler les filets avec chacun une feuille de laurier et une petite branche d'hysope. Les saisir et rôtir de tous les côtés dans un peu d'huile, ajouter le reste des légumes, le vin blanc et l'eau chaude. Laisser mijoter 35 minutes puis retirer les filets et lier la sauce avec un peu de farine grillée et de la crème épaisse.

La lavande

« Chez eux, ça sent le thym, le propre, la lavande
et le verbe d'antan… »

Les Vieux, Jacques Brel

Origine du nom *Lavandula officinalis.* Le nom provient de l'italien *lavanda*, « qui sert à laver ».

Mythes et légendes Plante associée aux serpents chez les Grecs et les Romains, au Moyen Âge elle symbolisait la pureté et la vertu et était consacrée à la Vierge Marie. Aux feux de la Saint-Jean, on la brûlait pour chasser les mauvais esprits.

Description botanique Labiée vivace, la lavande forme de petites touffes à feuilles étroites vert-gris et petits épis de fleurs… lavande. Il en existe plusieurs variétés de manière qu'il est difficile de savoir si l'on a affaire à la vraie lavande. C'est une excellente plante de rocaille. Toute la plante, mais les fleurs surtout, dégage un parfum suave, fort, entêtant et légèrement camphré.

Mode de culture Semis : En automne ou en avril, en pleine terre. La plante peut aussi se multiplier par prélèvement de boutures au printemps ou division de touffes à la fin de l'été. La germination des graines peut être très longue et ne réussit bien qu'en sol froid ; de plus, les semences doivent être à peine couvertes de terre. Les plantules n'atteignent que 5-8 cm (2-3 po) la première année et devront absolument être protégées contre le froid hivernal. **Sol :** Profond, riche, calcaire, bien drainé. **Exposition :** Plein soleil. **Distance entre les plants :** 30 cm (12 po). **Soins :** Sarclages réguliers. Tailler la plante en automne et la protéger du froid. Diviser la plante tous les 3-4 ans. **Récolte et conservation :** Récolter les tiges florales au début de la floraison.

Culture intérieure : La plante exige beaucoup d'humidité, de soleil et doit être replantée chaque année dans une terre nouvelle.

Usages Médicinalement, à raison de 1 c. à thé (à café) de fleurs par 250 ml (1 tasse) d'eau ou 2 à 5 gouttes d'essence sur un cube de sucre, la lavande est antispasmodique, sédative et tonique du cœur et du système nerveux. Toutefois, à trop fortes doses, elle peut se montrer très irritante.

Cultivée surtout pour le parfum de ses fleurs, la lavande a peu d'utilités en cuisine. Des fleurs, on peut faire des sachets qui parfument les armoires à linge et les tiroirs dont ils éloignent les mites. L'huile essentielle entre dans nombre de produits de beauté : savons, sels de bain, etc. Malheureusement la lavande est, au Québec, à cause du climat, moins riche en essence que celle provenant de Provence (son lieu de prédilection) ou de la région de Mitcham, en Angleterre, elle aussi très réputée ; la même chose vaut pour le thym et le romarin.

RECETTES
•••••••••••••

SUCRE DE LAVANDE

Dans quelques tasses de sucre, dans un bocal fermé, disposer quelques tiges de fleurs de lavande. Ce sucre peut servir dans divers desserts (biscuits, muffins, gâteaux, etc.). On procède de la même manière avec les gousses de vanille.

INFUSION SOMNIFÈRE

1 litre (4 tasses) d'eau
1 tête de laitue
2 c. à thé (à café) de valériane, concassée
2 c. à soupe de fleurs de lavande
Miel au goût
Jus de citron

Dans 1 litre (4 tasses) d'eau, faire bouillir la laitue et la valériane pendant 15 minutes. Retirer du feu et faire infuser la lavande 10 minutes. Passer, sucrer au goût avec du miel et ajouter du jus de citron.

FORMULE POUR BAINS CALMANTS

Faire infuser dans 2 litres (8 tasses) d'eau, 25 g (1 oz) de chacune des herbes suivantes : basilic, camomille, lavande, marjolaine, sauge et verveine. Ajouter à l'eau du bain avec une petite boîte de bicarbonate de sodium.

EAU DE LAVANDE I

60 g (2 oz) de fleurs fraîches de lavande
1 litre (4 tasses) d'alcool 40°

Faire macérer pendant 1 mois puis filtrer. Employer comme eau de toilette, en diluant l'alcool au besoin.

EAU DE LAVANDE II

500 ml (2 tasses) d'alcool 40° dilué d'un peu d'eau
7 gouttes d'essence de lavande
1 goutte d'essence de clou de girofle

Laisser reposer 2 mois avant d'utiliser comme parfum.

SELS DE BAIN

140 g (5 oz) de bicarbonate de sodium
85 g (3 ½ oz) de poudre d'iris de Florence
(en anglais *orris root*)
Quelques gouttes d'huile de lavande (ou de romarin)

Bien mélanger les ingrédients et les passer, si possible, au mortier et au pilon. Garder dans un contenant hermétiquement fermé. Ces sels peuvent se conserver 3 mois environ.

POT-POURRI À L'ANGLAISE
(sachets parfumés)

1 litre (4 tasses) de pétales ou boutons de rose séchés
225 g (½ lb) de sel
Fines herbes séchées :
hysope, lavande, menthe, romarin, sauge, thym
Épices concassées : badiane, cannelle, clous de girofle,
muscade, piment de la Jamaïque
50 g (2 oz) d'un fixatif de parfums comme de la racine
moulue d'iris de Florence (en anglais *orris root*)
ou d'acorus calamus ou de la teinture de benjoin.
Gouttes d'huiles essentielles des herbes et épices
ci-haut mentionnées (facultatif)
Un peu de brandy ou cognac pour amalgamer les parfums
et leur donner plus de résonance

Cueillir les pétales ou boutons de rose très tôt le matin, de manière à ce qu'ils soient encore humides de rosée. Les disposer sur une surface sèche et les laisser sécher dans un endroit abrité du soleil direct et très bien ventilé. Les pétales doivent rester rouges. Placer ensuite ceux-ci dans un grand pot avec le sel qui finira d'absorber leur humidité. Remuer fréquemment jusqu'à ce que les pétales soient bien secs (2-3 semaines). Retirer les pétales du sel et les mélanger avec les herbes, les épices, le fixatif choisi et les huiles essentielles voulues. Ajouter le brandy et mélanger de nouveau. Garder dans un pot 2 semaines et remuer fréquemment le mélange. Au bout de ce temps, disposer le mélange dans un bol plat ou vase ouvert ou mettre en sachets pour parfumer armoires et tiroirs.

La livèche

« Cette plante est probablement le "Persil"
mentionné dans les récits des découvreurs du
Canada (Cartier, etc.). La saveur des feuilles rappelle
assez en effet celle du Persil cultivé. »

Marie-Victorin

Origine du nom *Levisticum officinale* et *scothicum*. Le nom viendrait, soit du latin *levare*, « soulager », soit du nom de *Ligurie*, région de l'Italie où la plante abonde.

Mythes et légendes Déjà connue des Étrusques, la livèche est originaire du bassin méditerranéen et fut cultivée dès le Moyen Âge comme plante médicinale. C'est une plante qui mériterait d'être davantage connue.

Description botanique Ombellifère de culture facile, la livèche est une vivace rustique à petites fleurs jaunes qui peut atteindre 1 mètre (3 pieds) pour la variété cultivée, 60 cm (24 po) pour la variété sauvage du Québec (*scothicum*). Celle-ci abonde sur les rivages maritimes de la Gaspésie et est dotée des mêmes propriétés que l'autre. Les feuilles froissées dégagent une odeur forte de céleri, un peu amère mais très agréable.

Mode de culture Semis : Très tôt le printemps ou en automne. Néanmoins, il est plus profitable de se procurer des plants au début. **Sol :** Riche, bien fumé, humide mais bien drainé. **Exposition :** Plein soleil. **Distance entre les touffes :** 60 cm (24 po) (une ou deux touffes suffisent généralement). **Soins :** Sarclages au début. La plante prend vite possession de son espace. Fumer chaque automne. **Récolte et conservation :** Récolter les feuilles et les tiges au besoin. Les feuilles se sèchent bien. On peut aussi, après blanchiment de quelques secondes en eau bouillante, en faire de petits sachets à congeler dont on se servira pour aromatiser divers plats.

Usages En cuisine, toutes les parties de cette plante à saveur prononcée de céleri peuvent être employées mais doivent l'être avec discrétion. Alors que les feuilles et les tiges servent à aromatiser les potages, les salades, divers plats de viande (fricassée de poulet, d'agneau, de bœuf) et poisson, les racines se mangent crues ou cuites en salade. Les tiges creuses peuvent aussi servir de pailles pour boire du jus de tomates ou de légumes. Enfin, les semences ou les racines séchées et moulues peuvent servir de condiment.

Médicinalement, la livèche est surtout employée comme diurétique et antirhumatismale.

RECETTES

SOUPE ALLEMANDE AUX HERBES
Pâte à lasagne fraîche (voir page suivante)

FARCE :
1 oignon
1 gousse d'ail
1 poireau
100 g (4 oz) de lard (bacon fumé)
4 tranches de pain, mouillées
Persil
300 g (10 oz) d'épinards frais et cuits
300 g (10 oz) de jambon
3 œufs
Noix de muscade, basilic
Bouillon de poule ou poulet assaisonné de livèche,
marjolaine et autres herbes au goût (persil, cerfeuil…)

Préparer d'abord la pâte à lasagne et la garder au froid. Préparer ensuite la farce en faisant revenir l'oignon, l'ail et le poireau grossièrement tranchés dans le lard. Puis, les passer au mélangeur avec le pain mouillé, le persil, les épinards cuits et le jambon. Ajouter ensuite les œufs crus et bien mélanger en aromatisant de noix de muscade et de basilic au goût. Préparer la lasagne comme indiqué dans la recette de pâte, placer de la farce au centre de chaque lasagne puis replier et fermer la pâte des deux côtés. Passer un couteau dans la farine et couper la pâte en biseau, en morceaux d'une bouchée. Laisser sécher un peu les morceaux puis les déposer délicatement avec une écumoire dans du bouillon de poulet qui mijote déjà. Cuire le temps requis et servir avec un pain à la ciboulette ou à l'ail. Soupe de préparation longue mais délicieuse.

PÂTE À LASAGNE :
450 g (4 tasses) de farine
4 œufs
1 c. à soupe d'huile d'olive
Gouttes d'eau

Mettre la farine dans un grand bol et faire un trou au milieu. Casser les œufs et les mettre dans la farine, ajouter l'huile d'olive. Bien mélanger à la fourchette et, si la pâte est trop sèche, ajouter de l'eau, goutte à goutte. Quand la pâte forme une boule, la laisser reposer 15 minutes puis la pétrir avec les mains jusqu'à ce qu'elle soit lisse et brillante. Envelopper la pâte dans du papier ciré ou de pellicule plastique et la garder au froid 1 heure. Couper ensuite la pâte en 4 morceaux et la passer dans la «machine à pâte» autant de fois que nécessaire. Si l'on n'a pas de machine, commander les lasagnes chez un marchand de pâtes fraîches.

POTAGE À LA LIVÈCHE

Procéder comme pour le Potage à l'estragon (p. 72) en remplaçant ce dernier par des feuilles de livèche.

POULET FARCI À LA LIVÈCHE

Abats et foies de poulet
1 petit oignon
1 feuille de laurier
Sel et poivre au goût
100 g (4 oz) de mie de pain
Lait
1 bon morceau de beurre
100 g (4 oz) de champignons
1 petit oignon
1 pincée de thym
2 c. à soupe ou plus de feuilles de livèche
1 jaune d'œuf
1 poulet de 1 ½-2 kg (3-4 lb)
Paprika
2 c. à soupe d'huile d'olive
30 g (2 c. à soupe) de beurre

Cuire d'abord les abats et les foies, 1 heure ou plus, dans juste assez d'eau pour les recouvrir avec 1 petit oignon coupé en quartiers, 1 feuille de laurier, du sel et du poivre au goût; quand ils sont cuits, les égoutter, laisser refroidir puis hacher finement (la chair du cou est particulièrement délicieuse mais il n'y faut laisser aucun débris d'os). Faire ensuite la farce avec la mie de pain mouillée de lait, un bon morceau de beurre fondu, les champignons tranchés, l'oignon émincé, le thym, la livèche hachée, du sel et du poivre au goût. Lier la farce avec le jaune d'œuf battu. Farcir l'intérieur du poulet de ce mélange puis le coudre. Saupoudrer le poulet de sel, de poivre et de paprika au goût puis dans une cocotte pouvant aller au four le saisir dans l'huile d'olive et le beurre jusqu'à ce qu'il soit bien grillé de tous les côtés. Cuire ensuite au four à l'étouffée, à 175 °C (350 °F), jusqu'à ce que le poulet soit tendre, en l'arrosant à plusieurs reprises avec son jus. Découvrir la cocotte durant les 20 dernières minutes de cuisson de manière à ce que la peau du poulet soit croustillante. Servir avec purée de pommes de terre au cerfeuil et un légume vert tendre (asperges ou petits pois).

PÂTÉ DE POULET À LA QUÉBÉCOISE

1 poulet de 1 ½-2 kg (3-4 lb)
2 petits oignons, coupés en quartiers
1 feuille de laurier
Sel et poivre au goût
500 ml (2 tasses) de béchamel
Bouillon de poulet
Pâte à tarte
Petits pois verts en boîte, pommes de terre
et carottes coupées en dés
Livèche (ou graines de céleri), marjolaine, thym
1 jaune d'œuf

Couvrir d'eau et cuire le poulet entier ou coupé en morceaux avec les oignons, le laurier, du sel et du poivre jusqu'à ce qu'il soit tendre. Retirer alors le poulet du bouillon (en réservant celui-ci), le laisser refroidir et le désosser. On peut cuire les abats avec le poulet et les ajouter hachés à la sauce. Préparer une béchamel assez épaisse, l'allonger avec du bouillon. Abaisser la moitié de la pâte, en couvrir un grand plat en pyrex, y placer la viande désossée, les légumes crus puis la sauce assaisonnée de livèche, de marjolaine, d'une pointe de thym, de sel et poivre. Poser la deuxième abaisse et y pratiquer quelques entailles. Badigeonner de jaune d'œuf battu et cuire 1 heure ou plus, à 175 °C (350 °F), jusqu'à ce que la pâte soit dorée.

POULE PARFUMÉE

1 poule de 2 kg (4 lb) ou plus
2 oignons, coupés en quartiers
1 feuille de laurier
1 poignée de feuilles de livèche fraîche
Sel et poivre au goût
3 petits choux, émincés
20 petites carottes, émincées
1 petit navet, émincé

Farine grillée
2 c. à soupe de livèche, finement hachée
Pois verts en boîte

Couvrir la poule d'eau et la cuire 2 ½-3 heures ou plus avec les oignons, le laurier et la livèche et du sel et poivre au goût. La laisser refroidir et la désosser. Retirer l'oignon et le laurier du bouillon et dégraisser celui-ci avec des morceaux de papier absorbant. Jeter les légumes dans le bouillon et les cuire jusqu'à ce qu'ils soient tendres. Épaissir avec de la farine grillée puis, quelques minutes avant de servir, ajouter la livèche hachée et les pois. Ramener juste au point d'ébullition et servir sur la viande (qu'on aura gardée au four entre deux assiettes) disposée sur des tranches épaisses de pain grillées au four. Recette campagnarde héritée de ma grand-mère.

SAUCE VINAIGRETTE

PROPORTIONS SOUPLES :
½ c. à thé (à café) de sel
1 c. à soupe de moutarde de Dijon
½ citron, légèrement pressé
½ c. à thé (à café) de sucre
1-2 c. à soupe de lait
3-4 c. à soupe d'huile d'olive
2-3 gousses d'ail, broyées
3-4 échalotes françaises, émincées
Herbes au goût : estragon, aneth, livèche, ciboulette,
cerfeuil, persil (dans la sauce ou sur la salade)

Mélanger dans un grand bol à salade le sel, la moutarde, le jus de citron et le sucre. Ajouter un peu de lait et bien battre. Incorporer ensuite, en battant toujours, l'huile d'olive, par petites quantités. Ajouter ensuite l'ail, les échalotes et les fines herbes. Ne retourner la salade qu'au moment de servir. (Recette communiquée par Dagmar Teufel-Gueissaz, comme la plupart des recettes allemandes présentées dans ce livre.)

La marjolaine

« … un prince de Chypre, Amaracus excellait dans
l'art de fabriquer des parfums. En ayant réussi un qui
dépassait tous les autres, il tomba frappé d'une
ivresse mortelle. Les dieux métamorphosent
Amaracus en une plante au parfum suave et ainsi
naquit, dit-on, la marjolaine. »

Y. Trouard-Riolle

Origine du nom *Majorana hortensis* (ou *Origanum majorana*). Le nom provient du latin médiéval *maiorana*, d'origine incertaine, « peut-être dérivé, comme l'écrit Louis Lagriffe, du vieux français "mariol", sorte de figurine religieuse ou de marionnette, par allusion à des petites fleurs qui font penser à de petites poupées ».

Mythes et légendes Originaire du bassin méditerranéen et du Moyen-Orient, les Grecs et les Romains faisaient de la marjolaine des guirlandes pour les amoureux. Dans certains rites funéraires, une bonne croissance de la plante indiquait que l'âme du mort était en paix. On en faisait, à la Renaissance, des sachets parfumés et, associée aux abricots, une confiture.

Description botanique Labiée vivace mais cultivée comme annuelle au Québec, car la plante est très sensible au froid, la marjolaine forme de petites touffes à fleurs blanches ou rosées et peut atteindre 25-30 cm (10-12 po) de hauteur. C'est la forme cultivée de l'origan. L'odeur et la saveur rappellent en même temps celles de la menthe et du basilic et, à un degré moindre, celle du camphre.

Mode de culture **Semis :** Semis intérieur fin mars, mise en pleine terre fin mai ou juin. Les semences prennent 10 à 12 jours à lever. **Sol :** Riche, calcaire, humide mais bien drainé. **Exposition :** Plein soleil. **Distance entre les plants :** 15-20 cm (6-8 po) (quelques plants suffisent généralement). **Soins :** Sarclages au début, arrosages en cas de sécheresse. **Récolte et conservation :** Récolter les feuilles et les fleurs au début de la floraison. La plante se conserve très bien séchée. **Culture intérieure :** Facile pourvu qu'on lui fournisse assez de soleil, de chaleur, d'humidité et un sol calcaire.

Usages En cuisine, c'est une herbe très versatile à employer, toujours avec discrétion, dans les soupes, avec les légumes (tomates, pois, fèves, haricots, choux et navets surtout), le riz, les œufs, les viandes, les plats mijotés, les salades, diverses sauces, farces et marinades. Loin de les annuler, elle accentue les parfums du basilic, de la ciboulette, du persil et du thym. On peut interchanger la marjolaine et l'origan dans n'importe quelle recette. L'essence entre dans la fabrication de divers savons et parfums et est efficace contre les maux de dents.

Médicinalement, à raison de 1 c. à thé (à café) par 250 ml (1 tasse) d'eau, 3-4 fois par jour, la marjolaine est un excellent, pour ne pas dire extraordinaire antispasmodique à employer contre tous les types de troubles nerveux (anxiété, migraine, insomnie, etc.) ; c'est aussi un bon cholagogue, expectorant et stomachique.

RECETTES

(voir aussi les recettes données pour l'origan, page 108 et suivantes)

AUBERGINES AUX HERBES
(4 personnes)

4 aubergines moyennes
2 gousses d'ail, hachées
1 c. à thé (à café) de basilic, haché
1 c. à thé (à café) de marjolaine, hachée
3 tranches de bacon, hachées
Sel et poivre au goût
4 c. à soupe d'huile d'olive

Faire 4 entailles longitudinales assez profondes dans chaque aubergine. Mélanger l'ail, les herbes, le bacon et du sel et poivre au goût ; farcir les entailles de ce mélange.

Placer les aubergines dans un plat pouvant aller au four avec un peu d'eau dans le fond. Verser l'huile sur les aubergines et les cuire à l'étouffée à 180 °C (350 °F environ), pendant 45 minutes.

PISSALADIÈRE
(Pizza aux oignons)

PÂTE À PIZZA :
375 ml (1 ½ tasse) d'eau tiède
1 c. à soupe de levure sèche
1 c. à thé (à café) de sucre
1 c. à thé (à café) de sel
345 g (3 tasses) de farine
2 c. à soupe d'huile d'olive

Mélanger l'eau et la levure et laisser reposer 5 minutes. Ajouter les autres ingrédients et bien mélanger. Pétrir la pâte 5 minutes environ puis la mettre dans un bol huilé, la couvrir et laisser lever 40 minutes dans un endroit chaud. Presser ensuite cette pâte au fond d'un grand moule huilé.

GARNITURE :
3-4 c. à soupe d'huile d'olive
Quelques gros oignons espagnols
3 gousses d'ail
1 clou de girofle
1 feuille de laurier
Marjolaine broyée
Olives noires (type grec)
Filets d'anchois, tranchés sur la longueur
Poivre au goût

Faire blondir dans l'huile les oignons finement tranchés avec l'ail broyé, le clou de girofle et le laurier. Couvrir la pâte de ce mélange, parsemer de marjolaine puis disposer dessus les olives noires entières ou tranchées et les filets d'anchois. Assaisonner au goût (gare aux anchois qui sont déjà salés !) puis cuire 15 minutes, à four vif, soit 230 °C (450 °F) et servir avec un bon vin blanc frappé ou de la bière.

GOULASH

2 kg (4 lb) de bœuf en cubes
2 c. à soupe d'huile de cuisson
30 g (2 c. à soupe) de beurre
2 carottes
4 oignons
2 c. à soupe de paprika doux
16 g (2 c. à soupe) de farine grillée
500 ml (2 tasses) de bouillon de bœuf chaud
250 ml (1 tasse) de vin rouge
1 bouquet garni (thym, laurier, persil)
1 c. à thé (à café) de marjolaine
250 ml (1 tasse) de sauce tomate simple (coulis)
Sel et poivre au goût
2 gousses d'ail
2 c. à thé (à café) de persil, haché
1 pincée de poivre de Cayenne (facultatif)

Saisir et rôtir la viande dans l'huile et le beurre puis ajouter les carottes tranchées, les oignons grossièrement hachés et le paprika. Mijoter quelques minutes en touillant bien le tout puis saupoudrer avec la farine grillée et mouiller avec le bouillon et le vin. Ajouter le bouquet garni, la marjolaine, la sauce tomate, du sel et du poivre au goût. Mijoter 1 heure puis ajouter l'ail émincé et le persil et cuire jusqu'à ce que la viande soit bien tendre. Pour une goulash plus piquante, ajouter du poivre de Cayenne au goût. Servir avec des pâtes fraîches ou du riz et un légume vert.

FORMULE POUR BAINS FORTIFIANTS

Faire infuser (l'eau doit frémir mais non bouillir) dans 2 litres (8 tasses) d'eau 25 g (1 oz) de chacune des herbes suivantes : origan ou marjolaine, menthe, romarin, sauge et thym. Ajouter à l'eau du bain en filtrant le liquide dans une passoire fine. Ajouter aussi une petite boîte de bicarbonate de sodium à l'eau du bain.

Le marrube

« Marrube… vient en tous lieux, mais gayement sans cultures és mazures des vieux bâtiments. »

Olivier de Serres

Origine du nom *Marrubium vulgare.* Le nom provient de l'hébreu *marôb,* mot signifiant «jus amer».

Mythes et légendes Déjà cité dans la Bible, le marrube était employé par les Égyptiens pour soigner la toux. C'est surtout pour fins médicinales qu'on le cultive encore aujourd'hui.

Description botanique De la famille des Labiées, le marrube est une plante vivace qui forme des touffes blanchâtres à fleurs blanc-jaunâtre. Elle peut atteindre 45-60 cm (18-24 po) de hauteur.

Mode de culture Semis : En pleine terre, fin avril, ou par achats de plants. **Sol :** Sablonneux, léger, bien fumé. **Exposition :** Plein soleil. **Distance entre les plants :** 30 cm (12 po). **Soins :** Sarclages au début. Diviser les touffes tous les 3-4 ans. **Récolte et conservation :** Cueillir les feuilles et les fleurs au début de la floraison.
Usages En cuisine, on peut l'employer, avec très grande discrétion, pour aromatiser une salade.

Médicinalement, le marrube est tonique-amer, cholagogue, stomachique, fébrifuge et surtout expectorant. L'infusion se fait à raison de 15-30 g (½-1 oz) de plante séchée par litre (4 tasses) d'eau ; on en boit 500-750 ml (2-3 tasses) par jour et elle doit, à cause de son amertume, être sucrée avec du miel.

RECETTES

FORMULE CONTRE LA CELLULITE

Placer 60 g (2 ½ oz) de plante sèche dans 1 litre (4 tasses) de vin blanc. Laisser macérer 15 jours puis filtrer. Boire ½ verre avant chaque repas. Une autre plante très réputée contre la cellulite est la Reine-des-Prés (*Spiræa ulmaria*) non indigène au Québec.

FORMULE(S) POUR ÉCLAIRCIR LA VOIX

Infusion de marrube ou de marjolaine sucrée au miel. Ou : bouillon d'ail, de chou, d'oignon ou de poireau.

La mélisse

« Il n'y avait guère de pharmacie familiale, autrefois, qui n'eut, pour parer aux troubles les plus divers que pouvaient susciter, parmi les membres du logis, l'annonce d'une joie ou d'une peine inaccoutumées, un repas de noces trop copieux, une bataille de galopins dans la rue, que sais-je encore, un flacon d'Eau de Mélisse des Carmes. »

Pierre Lieutaghi, 1966

Origine du nom *Melissa officinalis*. Le nom provient du grec *melissa,* « abeille », et fait allusion à l'amour des abeilles pour cette plante. On donne aussi le nom de citronnelle ou baume-mélisse à cette plante.

Mythes et légendes Déjà connue des Arabes, la mélisse a de tout temps été utilisée comme plante médicinale et pour attirer les abeilles au jardin ou au verger.

Description botanique De la famille des Labiées, la mélisse est une belle vivace à feuilles ovales d'un beau vert foncé et à fleurs blanches ou rosées. Elle peut atteindre 50-60 cm (20-24 po) de hauteur. Les feuilles froissées dégagent une odeur sucrée et citronnée, très rafraîchissante et agréable.

Mode de culture **Semis :** Semis intérieur en mars-avril, mise en pleine terre fin mai. La germination peut prendre jusqu'à 30 jours. La plante se multiplie aussi par éclats de souches. **Sol :** Sablonneux, léger, riche en azote et phosphate. **Exposition :** Soleil ou semi-ombre. **Distance entre les plants :** 40 cm (16 po) (une douzaine de plants suffisent). **Soins :** Sarclages au début. Protéger les plants en hiver après les avoir rasés. **Récolte et conservation :** Cueillir la plante au début de la floraison. Elle doit être séchée rapidement, en petits bouquets, pour éviter le noircissement des feuilles.

Usages En cuisine, on peut se servir des feuilles pour aromatiser certaines soupes, salades, l'agneau et le bœuf. On s'en sert, en Hollande, pour aromatiser les marinades de harengs et d'anguilles. Comme la lavande, la mélisse sert à parfumer les armoires et tiroirs à linge dont elle éloigne les mites.

Médicinalement, la mélisse est antispasmodique et stomachique. Comme le romarin, elle stimulerait la mémoire. L'infusion se fait à raison de 1 c. à thé (à café) par 250 ml (1 tasse) d'eau. N'employer l'essence que comme insecticide contre les maringouins et les mouches noires.

RECETTES
· · · · · · · · · · · · ·

THÉ GLACÉ À LA MÉLISSE

Faire une infusion concentrée de mélisse et de menthe, la sucrer puis la verser sur des cubes de glace. Bien agiter le tout et servir très froid avec, si désiré, une partie égale de jus d'orange.

EAU DE MÉLISSE
(alcool médicinal domestique)

100 g (4 oz) de feuilles de mélisse semi-séchées
25 g (1 oz) d'écorce de citron
25 g (1 oz) de noix de muscade, râpée
25 g (1 oz) de graines de coriandre, pilées
10 g (½ oz) de clous de girofle
10 g (½ oz) de cannelle concassée
2 litres (8 tasses) de cognac ou alcool 94°

Macérer le tout pendant 8 jours puis filtrer et conserver dans une bouteille hermétiquement fermée. Employer à raison de 1 c. à soupe dans 1 verre d'eau tiède ou 6-8 gouttes sur un morceau de sucre. Eau médicinale excellente contre tous les troubles d'origine nerveuse et digestive. L'Eau de Mélisse des Carmes est évidemment un produit plus raffiné, puisque obtenu par distillation.

FORMULE POUR BAINS CALMANTS

Faire infuser dans 2 litres (8 tasses) d'eau bouillante 25 g (1 oz) de chacune des herbes suivantes: cataire, lavande, mélisse, menthe et thym. Ajouter à l'eau du bain en filtrant dans une passoire. Ajouter aussi une petite boîte de bicarbonate de sodium à l'eau du bain.

ONGUENT INSECTICIDE
(contre maringouins et mouches noires)

200 g (7 oz) de vaseline
25 g (1 oz) d'essence de mélisse
(appelée aussi «citronnelle»; se méfier de l'imitation d'essence vraie)

Faire fondre doucement la vaseline au bain-marie (ne pas oublier que c'est un produit inflammable) puis retirer du feu et incorporer l'essence de mélisse. Appliquer sur la peau exposée en évitant les muqueuses des yeux et de la bouche. (Voir aussi Menthe pouliot)

Les menthes

« L'estomac trouve en elle un secours étonnant
lorsqu'il veut réveiller son appétit dormant... »
École de Salerne

Origine du nom *Mentha* 1. *spicata* ou *viridis* (en épis ou verte),
2. *piperata* (poivrée), 3. *pulegium* (Pouliot), 4. avec Pluton, la
nymphe Minthè fut métamorphosée en plante qui porte désormais son nom.

Mythes et légendes Déjà connue des Hébreux, la plante servait
chez les Grecs à tresser des couronnes pour les jeunes mariés.
«Delatte (1938) rapporte cette pratique magique : on se rendait
trois jours de suite, avant le lever du soleil, auprès d'un pied
d'origan ou de menthe et l'on y disposait des offrandes (pain, sel,
poivre, vin) en saluant la plante et en lui annonçant que la fièvre
lui serait transmise. La Menthe se desséchait et le malade guéris-
sait.» (Pierre Lieutaghi)

Description botanique De la famille des Labiées, toutes les
menthes sont vivaces et portent des fleurs mauves en boules ou
en épis. Toutes peuvent se cultiver quoiqu'on en rencontre souvent à l'état sauvage : la menthe verte (ou en épis), la menthe
poivrée (plus rare) et la menthe du Canada (indigène). Au Québec,
la menthe Pouliot, au parfum de citron, doit être cultivée ; c'est
une espèce rampante. La menthe citronnée est aussi cultivable.

Mode de culture Semis : Semis en pleine terre en avril (sauf la
menthe poivrée qui, à l'instar de l'estragon vrai, est toujours stérile
et dont on doit acheter des plants) ou mieux, par transplantation
de plants sauvages. Les menthes se multiplient toutes rapidement. **Sol :** Riche en azote, humide mais bien drainé. Les menthes
sont sensibles à la rouille, on ne doit donc jamais les manipuler
par temps humide. **Exposition :** Ombre partielle (planter à
l'ombre d'une plante vivace formant un écran protecteur).

Distance entre : Rangs : 50 cm (20 po), Plants : 30 cm (12 po). **Soins :** Sarclages au début, fumage automnal. La plante étant parfois parasitée par les pucerons, la tailler ou traiter avec de l'infusion d'ail concentrée. C'est une des rares fines herbes à être attaquée par les insectes. **Récolte et conservation :** Cueillir la plante au début de la floraison. Séchées en petits bouquets, toutes les menthes se conservent bien. La menthe du Canada, une espèce indigène, est ma préférée à cause de la délicatesse de son parfum, peut garder celui-ci des années durant, même exposée à l'air. **Culture intérieure :** De peu de profit.

Usages En cuisine, quelques feuilles de menthe fraîche aromatisent bien les soupes aux tomates et aux pois, les petits pois verts et les pommes de terre, l'agneau, les poissons, les salades et diverses sauces. La menthe est aussi largement utilisée en confiserie et liquoristerie (pastilles, bonbons, Bénédictine, crème de menthe…).

Médicinalement, toutes les menthes sont toniques, stomachiques, cholagogues, antispasmodiques mais excitantes puis très irritantes à fortes doses. C'est en particulier le cas de la menthe poivrée dont l'essence très riche en menthol (jusqu'à 92 %) est à proscrire aux enfants et aux gens nerveux. On lui préférera les autres espèces, même en cuisine. L'infusion se fait à raison de 15-25 g (½-1 oz) de plante séchée par litre (4 tasses) d'eau. L'essence de menthe verte (éviter les autres) s'emploie à raison de 2 à 5 gouttes sur un morceau de sucre. Bien qu'antispasmodique, la plante entrave souvent le sommeil et on lui préférera à cette fin le tilleul, la lavande ou la marjolaine. Le menthol entre dans la préparation de nombreux produits pharmaceutiques : dentifrices, gargarismes, etc. L'huile essentielle de menthe Pouliot est efficace pour tenir à distance mouches noires et maringouins, (c'est aussi un produit abortif puissant).

RECETTES
••••••••••••••

FATTOUCH
(salade libanaise)
(6 personnes)

1 gros bouquet de persil frais, haché
1 bouquet de menthe fraîche, haché
1 concombre, pelé et coupé en cubes
2 tomates, coupées en cubes
1 oignon blanc, coupé en cubes

Mélanger tous ces ingrédients et assaisonner avec :

Le jus de 1 citron
2 gousses d'ail, broyées
Huile d'olive
30 g (1 oz) de sumac (épice vendue dans les épiceries
libanaises) qu'on saupoudre sur la salade

KEBBEH
(plat libanais)
(8 personnes)

PÂTE :
1 kg (2 lb) d'agneau maigre, haché
600 g (1 ¼ lb) de blé concassé
1 bouquet de menthe fraîche, hachée
1 oignon blanc, haché
Basilic, marjolaine, cannelle, cumin (au goût)

FARCE :
Dorer séparément :
500 g (1 lb) d'agneau haché
1 kg (2 lb) d'oignons blancs, hachés
200 g (7 oz) de pignons (noix de pin)
Sel, poivre et cannelle

Mélanger les ingrédients de la farce et assaisonner de sel,
de poivre et de cannelle. Préparer la pâte et en presser la

moitié au fond d'un grand plat en pyrex huilé. Presser ensuite la farce puis le reste de la pâte. Couper en nombre de morceaux désirés et cuire 25 minutes à 175 °C (350 °F). Excellent avec du pain libanais et des concombres tranchés très minces additionnés de yogourt et assaisonnés d'estragon, sel et poivre au goût.

THÉ À LA MENTHE

500 ml (2 tasses) d'eau bouillante
3 c. à thé (à café) d'un mélange de thé vert et
de menthe séchée
Sucre en poudre

Ébouillanter d'abord la théière puis verser l'eau bouillante sur le mélange. Ajouter 2 c. à soupe de sucre en poudre ou plus (ce thé se boit très sucré). Laisser infuser 3-4 minutes, filtrer et servir brûlant dans de petites tasses préalablement ébouillantées.

SAUCE À LA MENTHE
(*Mint sauce* anglaise)

1 c. à thé (à café) de feuilles de menthe fraîches, émincées
125 ml (½ tasse) de vinaigre de vin blanc
2 c. à thé (à café) de sucre

Mélanger et laisser reposer 4-5 heures avant d'utiliser. Cette sauce, un classique de la cuisine anglaise, s'emploie avec l'agneau froid ou chaud. Certains auteurs la considèrent comme une aberration culinaire.

VINAIGRE DE MENTHE

1 beau bouquet de menthe fraîche
Vinaigre de vin blanc
Un peu de sucre (au goût)

Laisser macérer 2-3 semaines avant d'utiliser. À employer dans les salades ou avec l'agneau.

GELÉE À LA MENTHE I

1 c. à soupe de gélatine sèche
65 ml (¼ de tasse) d'eau bouillante
250 ml (1 tasse) de vinaigre
Sucre au goût
1 petit bouquet de menthe, émincé
2-3 gouttes de colorant végétal vert (facultatif)

Dissoudre complètement la gélatine dans l'eau bouillante puis ajouter le vinaigre, du sucre au goût (un peu) et les feuilles de menthe. Ajouter du colorant si désiré. Sceller puis renverser les pots à quelques reprises pour empêcher la menthe de se déposer au fond. Conserver au froid.

GELÉE DE MENTHE II
(ou autre herbe au goût)

Pommes très dures (semi-mûres ou sauvages)
Sucre
1 beau bouquet de menthe fraîche

Couper les pommes entières en quatre et les mettre dans un grand chaudron en comptant 250 ml (1 tasse) d'eau par 750 ml (3 tasses) de pommes coupées. Couvrir et mijoter 30 minutes, en brassant plusieurs fois, puis mettre le tout dans un sac à gelée et laisser égoutter toute la nuit, sans presser à aucun moment, ceci afin d'obtenir une gelée claire. Le lendemain, mesurer le jus obtenu en comptant autant de sucre (en volume). Amener le jus à ébullition, le cuire 5 minutes à feu assez vif, en écumant si nécessaire. Ensuite, incorporer le sucre petit à petit. Porter le liquide à bonne ébullition, y jeter le bouquet de menthe puis cuire 10 minutes ou jusqu'à consistance de gelée, en écumant à mesure. Retirer la menthe de la gelée et verser celle-ci dans des pots stérilisés chauds qu'on scelle aussitôt.

SIROP DE MENTHE

3 bouquets de menthe fraîche
1 litre (4 tasses) d'eau
1,8 kg (8 tasses) de sucre
Colorant végétal vert (facultatif)

Infuser un bouquet de menthe dans l'eau bouillante et répéter l'opération 2 fois de manière à obtenir une infusion très concentrée. Ajouter le sucre et bien mélanger avec, si désiré, un peu de colorant végétal vert. Garder dans des bouteilles stérilisées.

CRÈME DE MENTHE

1 litre (4 tasses) d'alcool à 40°
15 g (½ oz) de menthe séchée
100 à 200 g (½ à 1 tasse) de sucre (au goût)
15 gouttes d'essence de menthe verte

Laisser macérer le tout quelques jours. Ajouter l'essence après avoir filtré. Garder dans une bouteille stérilisée. Liqueur digestive excellente.

RINCE-BOUCHE
(pour gargarismes)

500 ml (2 tasses) d'alcool 40°
2 c. à soupe de menthe séchée
1 petit morceau de cannelle
1 clou de girofle

Macérer le tout quelques jours puis le filtrer. Employer à raison de ½ c. à thé (à café) ou plus dans un demi verre d'eau.

PASTILLES À LA MENTHE

675 g (3 tasses) de sucre
250 ml (1 tasse) de lait
6 gouttes d'huile de menthe

«Mettre le sucre et le lait dans une petite casserole sur un feu doux, tourner jusqu'à ce que le sucre soit fondu, alors laisser bouillir dix minutes, retirer du feu, ajouter l'huile de menthe et battre jusqu'à ce que ce mélange devienne crémeux, à l'aide d'une cuillère à thé, faire tomber de petites boulettes sur un marbre huilé ou un plat en faïence également huilé. Si le mélange devenait trop froid et tendait à se cristalliser, mettre la casserole dans une terrine d'eau chaude » (Vieille recette québécoise)

L'origan

« On en fait de petits bouquets que l'on sèche
au grenier, à l'ombre ; la plante se conserve fort bien
d'une saison à l'autre. »
Pierre Lieutaghi

Origine du nom *Origanum vulgare*. Le nom provient des mots grecs *oros* et *ganos* qui signifient « éclat de la montagne », allusion à l'habitat et à la beauté de la plante.

Mythes et légendes L'histoire de l'origan se confond avec celle de la marjolaine dont elle est la cousine sauvage. (Voir La marjolaine, p. 92.)

Description botanique Labiée vivace à feuilles ovées presque entières et fleurs roses, l'origan peut atteindre jusqu'à 70 cm (28 po) de hauteur. La plante s'est naturalisée en quelques endroits du Québec, dont le Mont-Royal où l'on peut aussi trouver du cataire, de la menthe et du thym sauvage (serpolet). C'est une excellente plante de rocaille.

Mode de culture Semis : En pleine terre en avril-mai. Couvrir très légèrement les semences qui prennent 3-4 semaines à lever. **Sol :** Riche, bien drainé. **Exposition :** Plein soleil. **Distance entre les plants :** 25 cm (10 po). **Soins :** Sarclages au début, division de touffes tous les 3-4 ans (la plante se multiplie rapidement). **Récolte et conservation :** Cueillir la plante au début de la floraison. Séchée en petits bouquets, la plante se conserve bien d'une année à l'autre.

Usages Les mêmes que pour la marjolaine, sauf que la saveur de l'origan est plus forte.

RECETTES

PASTE ET FAGIOLE
(soupe italienne)

100 g (4 oz) de fèves blanches
2-3 c. à soupe d'huile d'olive
2 gousses d'ail, hachées
1 branche de céleri, finement tranchée
1 oignon, émincé
1 belle branche de persil, hachée
1 grosse boîte de conserve de tomates entières
Sel, poivre, basilic et origan au goût
1 pincée de romarin
1 pincée de sucre
2 tasses de pâtes, cuites (coquilles, nouilles ou vermicelles)
Fromage parmesan ou romano, râpé

Faire tremper les fèves une nuit puis les cuire, sans sel.
Préparer une sauce en faisant revenir dans l'huile d'olive
l'ail, le céleri, l'oignon et le persil. Ajouter les tomates
puis le sel, le poivre, les herbes et le sucre. Ajouter 1 litre
(4 tasses) d'eau et mijoter le tout 20 minutes environ.
Pendant ce temps, cuire les pâtes puis les ajouter à la
soupe avec un peu d'eau de cuisson (pour épaissir).
Ajouter enfin les fèves cuites. Mijoter encore quelques
minutes, couvrir de fromage râpé et laisser reposer quelques minutes avant de servir, avec, si désiré, un bon
pain à l'ail chaud.

POIVRONS FARCIS
(4 personnes)

SAUCE :
2 gousses d'ail, broyées
1 petit oignon, émincé
5-6 c. à soupe d'huile d'olive
2 boîtes de conserve de tomates entières
1 petite boîte de conserve de pâte de tomates
½ c. à thé (à café) de sucre
1 feuille de laurier
Origan, basilic, estragon
Sel et poivre au goût

FARCE :
250 g (½ lb) de viande maigre hachée (porc, veau, bœuf)
250 g (1 ¼ tasse) de riz blanc non cuit
1 œuf
1 gousse d'ail, broyée
Sel et poivre au goût
Herbes au goût : persil, origan, livèche…
1 pincée de poivre de Cayenne (facultatif)
8 poivrons verts moyens, découronnés et épépinés

Préparer d'abord la sauce en faisant revenir l'ail et l'oignon dans l'huile d'olive. Ajouter les autres ingrédients (tomates, sucre, fines herbes, sel et poivre) et mijoter à l'étouffée. Préparer la farce en mélangeant bien viande(s), riz, œuf, ail, sel, poivre, herbe(s) au goût et, si désiré, une pincée de Cayenne. Remplir les poivrons de cette farce, remettre la couronne dessus et les placer dans la sauce. Mijoter 2-3 heures à l'étouffée.

Tzatziki, p. 40

Pesto, p. 51

Thé à la menthe, p. 104

Huile au romarin, p. 127

Beurre aux fines herbes, p. 152

Bouquet garni, p. 152

Sauce vinaigrette de base, p. 166

Sel de fines herbes, p. 167

SALADE GRECQUE
(4-6 personnes)

1 gousse d'ail
1 pincée de sel
1 tête de laitue pommée
3 endives
3 cœurs de céleri
6 radis
1 petit bouquet de ciboulette
1 concombre, pelé
1 poivron vert, tranché en fines lamelles
10 olives noires, tranchées
225 g (½ lb) de fromage feta, coupé en cubes
125 ml (½ tasse) d'huile d'olive
Le jus de 2 citrons
Sel et poivre au goût
3 tomates
8 filets d'anchois
1 branche de persil, hachée
1 c. à thé (à café) d'origan broyé
Quelques brins de persil

Frotter le fond d'un grand bol à salade avec l'ail et le sel puis les jeter. Mettre les légumes émincés et le fromage dans le bol. Dans un petit bol, battre l'huile d'olive avec le jus de citron, du sel et poivre au goût puis en arroser les légumes. Bien mélanger puis garnir la salade avec les tomates tranchées, les filets d'anchois tranchés sur le sens de la longueur puis le persil haché, l'origan broyé et quelques brins de persil. Servir aussitôt.

Le persil

« … que les roses, l'ache (le persil) toujours verte et le lis éphémère ne manquent jamais à vos repas ! »

Horace

Origine du nom *Petroselinum sativum.* Le nom provient du grec *petroselinon,* mot qui signifiait « ache des rochers ».

Mythes et légendes Peut-être originaire de Sardaigne et devenu sauvage dans toute l'Europe du Sud (où il faut éviter de le confondre avec la cigüe), le persil a une histoire riche en légendes et superstitions. Alors que pour les Grecs la plante était surtout médicinale et servait à couronner les poètes et les vainqueurs des Jeux olympiques, chez d'autres peuples elle était associée à la mort. C'est ainsi qu'on croyait qu'une personne qui plantait du persil devait mourir dans l'année : « pour tourner la difficulté, les jardiniers sèment donc les graines de cette Ombellifère dans un trou de mur qui recevra, deux ans après, les semences de la plante mûre ». (Pierre Lieutaghi) De même, pour se débarrasser d'un ennemi, suffisait-il de prononcer son nom en arrachant un plant de persil. Le persil a aussi été de tout temps associé à l'ivrognerie et c'est ainsi qu'un auteur anglais a écrit que « la grande prise aide ceux qui n'ont pas la cervelle solide à mieux supporter la boisson ».

Description botanique Ombellifère bisannuelle, le persil a des feuilles d'un beau vert et des fleurs verdâtres et peut atteindre 25-30 cm (10-12 po) de hauteur. On cultive surtout le persil à grandes feuilles (dit « italien ») et le persil frisé, moins parfumé que l'autre. Le persil à racines constitue un excellent légume d'hiver.

Mode de culture Semis : En pleine terre, fin avril. Comme les semences lèvent lentement (3-4 semaines), les faire tremper 2 jours avant de les planter. Couvrir très légèrement les semences de terre fine. On peut aussi en faire un semis intérieur en mars en pots de tourbe, car la plante supporte très mal la transplantation. **Sol :** Riche en humus et bien fumé, frais. **Exposition :** Soleil ou

semi-ombre. **Distance entre les plants :** 15-20 cm (6-8 po). **Soins :**
Sarclages au début, arrosages des jeunes plants en cas de sécheresse. Enlever les feuilles qui jaunissent pour favoriser la repousse.
Récolte et conservation : Cueillir au besoin. La plante séchée est
de saveur et valeur vitaminique presque nulles. Si on veut néanmoins la sécher, le faire à four doux, pendant une dizaine de
minutes ou plus, en retournant plusieurs fois les feuilles hachées.
Culture intérieure : Doit se faire dans des pots assez profonds ;
on doit fournir à la plante un sol riche et partiellement sableux,
beaucoup de fraîcheur (pièce la plus froide de la maison), de
lumière et des arrosages fréquents. On peut aussi, à l'automne,
attendre que la gelée fasse faner les plants puis en prélever
quelques-uns et les empoter ; ainsi les nouvelles pousses seront-
elles plus vigoureuses que si on récolte le plant en feuilles.

Usages En cuisine, le persil est à la fois un condiment et un
légume (on peut en faire une salade excellente et très saine). On
l'emploie, le plus frais possible, dans les soupes, les viandes (bœuf
bouilli…) et les poissons, les omelettes, les salades. C'est un élément essentiel du bouquet garni. L'emploi du persil comme
garniture nous vient des Grecs : en effet, ceux-ci l'utilisaient dans
les banquets, en même temps contre l'ivresse (en couronnes) et
pour neutraliser l'odeur de l'ail et de l'oignon dont ils faisaient
grande consommation. Pour la cuisson, on emploiera de préférence le persil italien à l'huile moins volatile que celle du persil
frisé qui ne devrait jamais être cuit, mais ajouté aux plats à la
dernière minute.

Médicinalement, le persil est apéritif, stimulant, dépuratif et
diurétique. Très riche en vitamines C et A et sels minéraux (fer…),
« on peut, sans exagération, le considérer comme l'un des plus
précieux aliments que la Nature a mis généreusement à la dispo-
sition de l'espèce humaine » (Randoin et Fournier). L'infusion se
fait à raison de 50 g (2 oz) de plante entière (feuilles, graines,
racines) dans 1 litre (4 tasses) d'eau. L'infusion suivante est
employée pour éclaircir le teint ou contre les taches de rousseur :
mijoter une poignée de feuilles dans 500 ml (2 tasses) d'eau pendant 15 minutes ; laver la peau le matin et le soir avec cette

infusion. Le suc frais (feuilles froissées) s'emploie contre les piqûres d'abeille. L'essence (apiol) peut s'avérer très dangereuse.

RECETTES
•••••••••••••

SOUPE AU PERSIL
(4 personnes)

1 tasse de persil
500 ml (2 tasses) d'eau
16 g (2 c. à soupe) de farine
30 g (2 c. à soupe) de beurre
500 ml (2 tasses) de lait
Sel et poivre au goût
Un peu de cerfeuil frais (facultatif)

Mettre le persil à mijoter dans l'eau. Préparer une Sauce béchamel (voir p. 166) avec la farine, le beurre, le lait puis l'ajouter au bouillon de persil. Assaisonner au goût. On peut servir la soupe telle quelle ou gratinée au four, avec du fromage gruyère râpé et du paprika, et croûtons de pain à l'ail.

PERSIL FRIT

Garniture essentielle des cervelles ou de la raie au beurre noir (recettes suivantes), le persil frit se fait en saisissant et cuisant 1 minute dans l'huile bouillante et avec un panier de broche (comme les frites) des petits bouts de branches de persil frisé, lavés et parfaitement asséchés.

CERVELLES AU BEURRE NOIR
(4 personnes)

Un grand classique de la gastronomie française où contrairement à ce que l'on croit souvent le beurre n'est pas noir mais brun :

4 cervelles de veau
125 ml (½ tasse) de vinaigre
1 oignon, haché grossièrement
1 bouquet garni (persil, thym, laurier)
Beurre noir (beurre, vinaigre)

Faire tremper les cervelles 1 heure dans de l'eau glacée. Les nettoyer le mieux possible, puis les cuire dans assez d'eau pour les couvrir avec le vinaigre, l'oignon et le bouquet garni. Mijoter 30 minutes, égoutter et garder au four chaud entre deux assiettes. Préparer le beurre noir en faisant fondre et mijoter du beurre jusqu'à ce qu'il brunisse. Ajouter avec précaution quelques gouttes de vinaigre et ramener à ébullition. Verser ce beurre sur les cervelles, garnir de persil frit et de quartiers de citron.

RAIE AU BEURRE NOIR
(4 personnes)

Court-bouillon pour poissons (voir p. 154)
1 kg (2 lb) de raie
Câpres entières ou hachées
Beurre noir et Persil frit (voir recettes précédentes)

Préparer le court-bouillon puis y mijoter le poisson 15 minutes. Le retirer ensuite délicatement et le mettre dans un plat de service. Couvrir la raie de beurre noir, de câpres et de persil frit.

POMMES DE TERRE PERSILLÉES

Petites pommes de terre nouvelles
Beurre ou gras de bacon
Sel
Persil, finement haché

Faire revenir les pommes de terre dans le gras chaud et cuire 10-15 minutes en remuant fréquemment la poêle. Quand les pommes de terre sont bien dorées, réduire le feu, couvrir et cuire jusqu'à ce qu'elles soient tendres. Découvrir alors la poêle, monter le feu et cuire 2-3 minutes en brassant constamment la poêle. Assaisonner, garnir de beaucoup de persil finement haché et servir.

CIGARES AUX FEUILLES DE VIGNE
(6 personnes)
(Liban)

FARCE :
300 g (1 ½ tasse) de riz cuit
300 g (10 oz) d'oignons, grossièrement hachés
300 g (10 oz) de persil, haché
300 g (10 oz) de tomates, coupées en dés
Le jus de 3 citrons

PUIS :
25-30 feuilles de vigne marinées
500 ml (2 tasses) d'eau chaude
125 ml (½ tasse) d'huile d'olive

Préparer la farce en mélangeant les ingrédients, la laisser reposer 1 heure puis en remplir les feuilles de vigne égouttées et rouler en cigares. Les disposer au fond d'un chaudron puis les couvrir avec l'eau et l'huile. Mijoter le tout 1 heure et servir avec des côtelettes d'agneau ou de veau. (Voir Index des recettes)

BEURRE MAÎTRE D'HÔTEL
(pour viandes et poissons grillés)

Beurre
Persil, émincé
Jus de citron
Sel et poivre

Travailler du beurre froid à la fourchette pour le mettre en crème et y incorporer les autres ingrédients. Servir tel quel sous ou sur la viande ou le poisson grillé placé dans des assiettes chaudes.

SAUCE VERTE

Herbes fraîches : cerfeuil, ciboulette, estragon, persil
1-2 c. à thé (à café) d'eau froide
Mayonnaise
1 goutte de jus d'oignon (facultatif)

Hacher finement les herbes puis les piler dans un mortier. Ajouter un peu d'eau et passer dans un tamis fin. Incorporer cette purée d'herbes à de la mayonnaise avec le jus d'oignon, si désiré.

SAUCE AU PERSIL ET AUX ŒUFS
(Angleterre)

1 ou 2 œufs cuits dur, hachés
1 c. à soupe de persil, haché
1-2 gouttes de jus d'oignon (facultatif)
500 ml (2 tasses) ou plus de Sauce béchamel (voir p. 166)
Un peu de jus de citron

Mélanger tous les ingrédients et servir sur du poisson bouilli avec, par exemple, des pommes de terre bouillies et des petits pois.

PERSIL SALÉ

Procéder exactement comme pour les Herbes salées (voir p. 155), en n'employant que du persil. Garder au réfrigérateur jusqu'au moment où l'on peut obtenir du persil frais de nouveau (au jardin).

FORMULE CONTRE L'IVROGNERIE
(Jean Valnet)

Faire bouillir dans 1 litre (4 tasses) d'eau, jusqu'à réduction de 0,5 litre (2 tasses) :

50 g (2 oz) de persil
1 écorce de pamplemousse
1 écorce d'orange

Sucrer. Prendre 1 c. à thé (à café) chaque matin à jeun.

Le romarin

« … les mûriers sont pleins de jeunes filles que le
beau temps rend alertes et gaies, telles qu'un essaim
de blondes abeilles qui dérobent leur miel aux
romarins des champs pierreux. »

Mireille, Frédéric Mistral

Origine du nom *Rosmarinus officinalis.* Le nom provient du latin
ros marinus, mots signifiant « rosée marine », « soit parce qu'une
légère poussière blanche telle une fine rosée saupoudre ses
feuilles, soit parce qu'il recherche les endroits où se dépose la
rosée de la mer ». (Louis Lagriffe)

Mythes et légendes C'est peut-être la plante dont l'histoire est
la plus riche en légendes. « Fleur par excellence » pour les Grecs
qui s'en couronnaient lors de certaines fêtes, le romarin était le
symbole de l'immortalité, du souvenir, de la fécondité et de la
loyauté. Plante funéraire pour de nombreux peuples (Égyptiens,
Grecs, etc.), dans le sud de la France : « on dit que parfois on met
du romarin dans la main des défunts et l'on en plante ensuite sur
leur tombe » (Trouard-Riolle). La couleur bleu azur des fleurs était
attribuée par les Chrétiens à la Vierge Marie qui « se reposant près
d'un buisson, lors de la fuite en Égypte, y posa son voile dont les
fleurs du romarin prirent la couleur » (Louis Lagriffe). L'Eau de la
Reine de Hongrie, à base de fleurs de romarin, qui rendit si bien
la jeunesse à une princesse de 72 ans paralytique et goutteuse
qu'elle fut demandée en mariage par un roi de Pologne, connut
une vogue extraordinaire au 18e siècle ; une véritable eau de
Jouvence qui fit écrire à Madame de Sévigné : « Je m'en enivre
chaque jour ; j'en ai toujours dans ma poche, c'est une folie
comme du tabac, mais je ne peux m'en passer, je la trouve excellente contre la tristesse. » Enfin, le romarin fut largement utilisé
comme préventif, en fumigations ou autrement, lors des grandes
épidémies de peste ; à ce propos, Louis Lagriffe rapporte une
anecdote amusante : « De l'Orme, médecin du roi, pour se protéger des épidémies, ne sortait de chez lui qu'avec dans la bouche

4 ou 5 gousses d'ail, dans les oreilles des rameaux d'encens, dans les narines une tige de rue (plante médicinale autrefois populaire) et le visage entier recouvert d'un masque affublé d'un long bec qui lui permettait de tenir sous le nez une éponge imbibée de vinaigre, de romarin, de girofle et de cannelle. »

Description botanique Labiée à feuilles très étroites et fleurs bleu azur, le romarin n'est malheureusement pas vivace au Québec. Alors qu'elle peut atteindre 1,5 mètre (5 pieds) de hauteur en Provence, son lieu de prédilection, au Québec, elle n'atteint, après plusieurs mois de croissance, qu'une quinzaine de centimètres (6 po). De plus, cultivé au Nord, le romarin n'a qu'une faible teneur en huile essentielle ; on lui préférera, pour fins médicinales, celui de son pays d'origine, pourvu, bien sûr, qu'il soit frais. L'odeur de la plante est forte, chaude et rappelle en même temps celles de l'encens, du pin et du camphre.

Mode de culture Semis : Semis intérieur en mars, mise en pleine terre fin mai, quand tout danger de gelée est passé. La plante est de germination très lente (3-4 semaines et plus) et exige de la chaleur. L'achat de plants est des plus profitables. **Sol :** Riche, calcaire, bien drainé. **Exposition :** Plein soleil. Orienter la plante vers le Sud. **Distance entre les plants :** 15 cm (6 po) (pour la France, cette distance est évidemment beaucoup plus grande). **Soins :** Sarclages au début, arrosages en cas de sécheresse. **Récolte et conservation :** Cueillir les tiges au besoin. La plante se conserve bien séchée ou dans l'huile d'olive. **Culture intérieure :** La plante exige beaucoup de soleil, un sol riche et de l'air frais. Les plants cultivés au jardin pourraient l'être en pots, car la plante supporte mal la transplantation et, dès qu'entrée à l'intérieur, se dessèche souvent sans explication. Comme les plantes ont, elles aussi, leurs petites habitudes, le romarin cultivé à l'intérieur devrait toujours être gardé à la même place, même en été. Si, au cours de la croissance, une transplantation s'avère nécessaire, transférer la motte de terre entière dans un pot plus grand en ajoutant de la terre neuve sous et autour de la motte, sans briser celle-ci. Bien tasser la terre autour du plant puis arroser à fond en laissant ensuite le pot s'égoutter. Cette opération se pratique idéalement au printemps, quand la plante redevient active. Arroser la plante à fond, de manière à ce que tout le réseau radiculaire soit atteint par l'eau, mais sans exagération. Ces remarques valent pour toutes les plantes d'intérieur.

Usages En cuisine, le romarin sert à aromatiser, seul ou avec d'autres herbes, mais toujours avec grande discrétion, car il prend vite toute la place, les farces et les sauces, les champignons sauvages, divers poissons, les viandes grillées (agneau surtout), le gibier (avec genièvre, laurier et thym). Une spécialité gastronomique française, le Miel de Narbonne, est parfumé au romarin.

Médicinalement, le romarin est stimulant, antispasmodique et cholagogue (actions marquées sur la sécrétion biliaire si essentielle au bon fonctionnement du foie). Toutefois, la plante peut se montrer, à fortes doses, l'essence surtout, très irritante ; à propos d'elle, les Arabes furent les premiers à savoir en extraire l'essence, avec celles de lavande et de thym, par distillation. L'infusion se fait à raison de 10 à 25 g (½ à 1 oz) de feuilles et fleurs par litre (4 tasses) d'eau. La plante est employée dans nombre de produits cosmétiques (shampooings, rince-bouche, savons, etc.). Elle redonne vigueur et éclat aux cheveux noirs et peut aussi être utilisée pour parfumer les armoires et tiroirs à linge, en sachets, seule ou en association avec la lavande, la mélisse et le basilic. On peut aussi s'en servir comme encens (voir plus loin).

RECETTES
• • • • • • • • • • • • •

BOUILLABAISSE
(8 personnes)

65 ml (¼ de tasse) d'huile d'olive
3 oignons, coupés en quartiers
3 gousses d'ail, hachées
2-3 litres (8-12 tasses) d'eau
1 tête de rascasse (poisson)
Sel et poivre au goût
1 feuille de laurier

¼ de c. à thé (à café) de chacune des herbes suivantes :
sarriette, thym, romarin
1 c. à soupe de persil, haché
1 grosse boîte de conserve de tomates entières
1 kg (2 lb) de filets de poisson à chair ferme
1 verre de vin blanc sec
500 g (1 lb) de crevettes fraîches
Autres fruits de mer à volonté : moules, pétoncles…
Un peu de safran

Au fond d'un grand chaudron, faire revenir doucement dans l'huile les oignons et l'ail. Ajouter ensuite l'eau, la rascasse (qui donnera tout son fumet à la soupe), le laurier, du sel et poivre au goût. Mijoter pendant au moins 1 heure puis retirer la rascasse et ajouter au bouillon, les herbes, les tomates et mijoter 30 minutes. Enfin, mettre les filets de poisson coupés en morceaux assez gros, le vin blanc, les fruits de mer et le safran. Mettre au point l'assaisonnement et mijoter juste le temps qu'il faut au poisson pour être tendre. Les fruits de mer à coquilles (moules…) ou carapaces (crevettes, homard, crabe…) peuvent être cuits à part puis préparés et ajoutés à la soupe dans les dernières minutes de cuisson. Ce grand classique de la cuisine provençale constitue un repas à lui seul.

GIGOT D'AGNEAU AU ROMARIN

1 gigot d'agneau de 2,5 kg (5 lb) ou plus
5-6 gousses d'ail
45-60 g (3-4 c. à soupe) de beurre mou
Farine et moutarde sèche (moitié, moitié)
Romarin et marjolaine
Sel et poivre au goût
1 c. à soupe de farine et eau chaude

Éponger la pièce de viande puis y faire de petites incisions dans lesquelles on insère des petits bouts d'ail. Badigeonner ensuite avec le beurre puis saupoudrer d'un mélange de farine et de moutarde sèche. Couvrir de fines herbes puis saisir la viande au four à 230 °C (450 °F) et réduire ensuite à 175 °C (350 °F), en comptant 25 minutes de cuisson par 500 g (1 lb) de viande. Assaisonner la viande à mi-cuisson et arroser souvent la viande avec son jus. Quand la viande est tendre, la retirer du chaudron et garder dans un plat de service chaud. Délayer 1 c. à soupe de farine dans un peu d'eau chaude et ajouter au fond de rôti, en allongeant avec un peu d'eau si nécessaire. Mijoter la sauce en y rajoutant un peu de romarin, l'assaisonner au goût et servir viande et sauce avec gelée ou sauce de menthe (voir Index des recettes), un légume vert tendre et du riz ou des pommes de terre.

CÔTELETTES D'AGNEAU AU ROMARIN

2 côtelettes par personne
Ail, broyé
Moutarde sèche
Poivre au goût
Romarin
Huile d'olive et beurre
Eau chaude
Vin blanc sec
Sel au goût

Laisser reposer un peu la viande à la température de la pièce puis la badigeonner d'ail broyé ; la couvrir ensuite d'un peu de moutarde sèche, de poivre et de romarin. Saisir et rôtir les côtelettes dans un peu d'huile d'olive et de beurre. Verser avec précaution 125 ml (½ tasse) d'eau chaude dans la poêle, couvrir aussitôt celle-ci et mijoter à feu doux, pendant 20 minutes, en tournant les côtelettes une fois. Au bout de ce temps, découvrir la poêle et épaissir la sauce à feu assez vif jusqu'à ce qu'elle commence à coller à la poêle. Retirer rapidement la viande de la poêle, déglacer la sauce avec du vin blanc et vérifier l'assaisonnement (n'ajouter du sel qu'à ce moment). Les côtelettes de veau et de porc se préparent de la même façon, les premières avec du thym, les secondes, avec de la sauge.

LAPIN (OU LIÈVRE) AUX FINES HERBES
(4 personnes)

1 lapin
Moutarde sèche et farine (moitié, moitié)
Beurre et gras de porc
Sel et poivre au goût
1 oignon, haché
Fines herbes au goût : marjolaine, thym, romarin
1 feuille de laurier
2-3 baies de genévrier (facultatif)
3-4 bardes de lard ou tranches de bacon
Eau chaude
4 c. à soupe de farine grillée

Couper le lapin en 8-9 morceaux puis rouler ceux-ci dans un mélange de moutarde sèche et de farine. Saisir la viande, en 1 ou 2 fois, dans le beurre et le gras de porc puis, quand elle est bien rôtie, l'assaisonner. Ajouter l'oignon, les fines herbes, le laurier et le genévrier. Placer les bardes de lard ou le bacon en surface puis couvrir d'eau (pas trop). Mijoter 2-3 heures à l'étouffée. Épaissir ensuite la sauce avec la farine grillée, vérifier l'assaisonnement puis servir très chaud.

LENTILLES À L'ALLEMANDE

500 ml (2 tasses) de lentilles vertes
Romarin
200 g (7 oz) de lard en chair, tranché
1 petite gousse d'ail, broyée
1 oignon haché
Farine grillée
Un peu d'eau
Un peu de sucre, de vinaigre de vin et de poudre de cari
Sel et poivre au goût

Cuire d'abord les lentilles, sans sel, avec juste ce qu'il faut d'eau et un peu de romarin. Dans une poêle, faire revenir le lard tranché avec l'ail et l'oignon puis en faire une sauce en ajoutant d'abord de la farine grillée puis un peu d'eau. Verser cette sauce sur les lentilles cuites et ajouter sucre, vinaigre, poudre de cari, sel et poivre au goût. Mélanger et mijoter un peu puis servir sur des coquilles ou des nouilles avec des saucisses allemandes.

HUILE AU ROMARIN

750 ml (3 tasses) d'huile d'olive
4 branches de romarin
2 petites gousses d'ail entières
1 échalote française entière

Laisser macérer le tout pendant 2-3 semaines avant d'utiliser. Cette huile est excellente avec les volailles, les poissons et les pâtes italiennes.

ESPRIT D'HERBES DES BERGERS

3 g (⅛ oz) de gingembre frais
2 g (⅛ oz) de macis (ou muscade)
2 g (⅛ oz) de clous de girofle
10 g (½ oz) de fleurs de lavande
1 litre (4 tasses) d'alcool 90°

FEUILLES FRAÎCHES :
25 g (1 oz) de romarin
15 g (½ oz) de thym
5 g (¼ oz) de basilic
5 g (¼ oz) de menthe poivrée
10 g (½ oz) de mélisse
10 g (½ oz) de bergamote (chez l'herboriste)
10 g (½ oz) d'estragon
10 g (½ oz) de sauge

Broyer longuement herbes et épices dans un mortier, par petites quantités à la fois. Délayer avec un peu d'alcool puis transvaser dans un pot et couvrir du reste de l'alcool. Laisser infuser une semaine en secouant le pot de temps à autre. Filtrer alors sur de la ouate, transférer dans de petits flacons et fermer hermétiquement. Employer, au compte-gouttes, pour aromatiser, en fin de cuisson, les plats mijotés (bouillis, daubes, ragoûts…).

HUILE POUR BAINS

125 ml (½ tasse) d'huile d'amande douce
10 gouttes d'huile essentielle de romarin (ou autre)

Mélanger en brassant vigoureusement. Employer 1 c. à thé (à café) d'huile par bain. Le rôle de l'huile d'amande douce est de permettre la dissolution de l'huile d'herbe qui autrement resterait en surface de l'eau.

FORMULE CICATRISANTE
(brûlures légères)

Diluer dans un peu d'alcool quelques gouttes d'huiles essentielles de lavande, sauge, thym et romarin. Diluer cet alcool dans un petit verre d'eau tiède. Imbiber de la gaze (ou autre tissu) du mélange et placer en compresse sur la brûlure. La même formule peut servir pour les douleurs musculaires ou rhumatismales. À défaut d'huiles essentielles, on peut se servir d'une décoction (infusion mijotée) des herbes indiquées.

FORMULE D'ENCENS D'ÉPICES ET D'HERBES

À l'origine, l'encens était obtenu à partir de la plante nommée «oliban». Toutefois, on appelle aujourd'hui «encens» tout mélange à brûler pour parfumer et purifier l'air d'un lieu fermé. À part la myrrhe et le benjoin vendus dans le commerce sous forme de granules, on peut aussi se servir d'un mélange des produits suivants:

Épices: cannelle concassée, clous de girofle, baies de genièvre;

Herbes: hysope, lavande, marjolaine, romarin, sauge, thym, aiguilles de pin. Aux mêmes fins, on peut tout simplement faire s'évaporer, en les mijotant dans de l'eau, des gouttes d'huiles essentielles, diluées dans un peu d'alcool, des plantes suivantes: girofle, cannelle, hysope, lavande, marjolaine, menthe, romarin, sauge, thym, pin.

VINAIGRE DES QUATRE-VOLEURS
(Recette ancienne)

Préparation célèbre au 18e siècle, ce vinaigre antiseptique avait été composé par quatre voleurs qui, à Toulouse, en 1631, lors d'une grande épidémie, «alloient chez les pestiférés, les étrangloient et après voloient leurs maisons». En échange du secret de leur recette, on leur promit la vie sauve. Il était composé d'herbes (marjolaine, sauge, romarin, etc.) et d'épices (cannelle, etc.) macérées dans du vinaigre fort.

EAU DE LA REINE DE HONGRIE
(Recette ancienne)

«On aura des fleurs de Romarin nouvellement cueillies dans leur vigueur, et on remplira la moitié d'une cucurbite (alambic) de verre, on versera dessus de l'esprit de vin jusqu'à ce qu'il surpasse de deux doigts les fleurs, on couvrira la cucurbite de son chapiteau, et on laissera la matière en digestion pendant trois jours; ensuite y ayant adapté un récipient et luté (obstrué) exactement les jointures, on fera la distillation au feu de sable et on gardera l'eau distillée dans une bouteille bien bouchée pour le besoin.» (1716)

La sarriette

« ... ainsi nommée des satyres, espèce de dieux,
moitié hommes et moitié boucs. Ils étaient très
enclins aux femmes, d'où vient qu'on leur a consacré
une plante dont l'arôme lui donne des droits aux
vertus aphrodisiaques, si utiles à ces dieux dissolus. »
Thore, 1803

Origine du nom *Satureia* 1. *hortensis* (annuelle), 2. *montana* (vivace). Pour l'explication du nom, voir l'exergue.

Mythes et légendes Originaire du bassin méditerranéen, la sarriette était déjà connue dans l'Antiquité et fut cultivée au Moyen Âge, comme plante médicinale, dans les monastères et les jardins de Charlemagne. Toutefois, son histoire est pauvre en légendes.

Description botanique De la famille des Labiées, la sarriette annuelle forme un petit buisson à fleurs roses dont la taille peut atteindre 30-40 cm (12-16 po). La variété vivace, non rustique au Québec, est un peu plus élevée et de saveur plus prononcée. L'odeur de la plante est forte mais agréable, très camphrée et rappelle de loin celle de la menthe.

Mode de culture Semis : Semis en pleine terre, début mai. Les graines prennent 10 jours environ à lever. Plante de culture facile et de croissance rapide. **Sol :** Léger, calcaire, bien drainé. **Exposition :** Plein soleil. **Distance entre les plants :** 15 cm (6 po). **Soins :** Sarclages au début. Si on réussit la culture de la variété vivace (en régions chaudes), il faut diviser la plante tous les 4-5 ans. Protéger la plante en hiver. **Récolte et conservation :** Cueillir les tiges au besoin. Récolter la sarriette en pleine floraison. La plante se conserve bien séchée. **Culture intérieure :** De peu de profit.

Usages Herbe culinaire québécoise par excellence, la sarriette parfume bien les soupes, les plats mijotés, le gibier, les viandes, les poissons, les farces, les sauces, dont elle facilite la digestion. À cause de son action carminative, c'est un élément essentiel de tout plat de fèves ou pois divers. La plante entre dans la confection de diverses liqueurs, dont la célèbre Chartreuse qui ne compte pas moins d'une centaine d'ingrédients végétaux divers. La plante servait autrefois à masquer le goût et l'odeur des viandes trop faisandées.

Médicinalement, la sarriette est stimulante, carminative, anti-spasmodique et aphrodisiaque. L'infusion se fait à raison de 5 g (¼ oz) par tasse d'eau. L'essence s'emploie à raison de 5 gouttes, 2-3 fois par jour, en fin de repas, dans 250 ml (1 tasse) d'eau chaude. Cette essence est très efficace contre les maux de dents (sur de la ouate appliquée sur la dent).

RECETTES

SOUPE AUX POIS JAUNES

2 litres (8 tasses) de pois jaunes secs
3-4 litres (12-16 tasses) d'eau
2 oignons, émincés
2 petits poireaux, finement tranchés
2 branches de céleri, finement tranchées
400 g (14 oz) de lard salé
Cerfeuil, persil, marjolaine, sarriette
Sel et poivre au goût

Faire tremper les pois en eau froide pendant 8 heures au moins puis les cuire, sans sel, dans 3-4 litres d'eau, 1 heure environ. Ajouter le reste des ingrédients et mijoter pendant 3-4 heures. Rajouter un peu de cerfeuil et de persil émincés vers la fin de la cuisson.

SOUPE AUX GOURGANES

200 g (7 oz) de gourganes (fraîches, de préférence)
200 g (7 oz) de lard salé, tranché
1 os de jambon (facultatif)
2 branches de céleri, tranchées mince
2 carottes, en julienne
1 oignon, émincé
Sarriette et persil
Poivre au goût
3-4 litres (12-16 tasses) d'eau
1 grosse poignée d'orge perlé

Si l'on emploie des gourganes séchées, les faire tremper d'abord quelques heures en eau froide. Mélanger et mijoter tous les ingrédients 3-4 heures en n'ajoutant l'orge perlé qu'à la dernière heure de cuisson.

SOUPE AUX LENTILLES

250 g (½ lb) de lentilles vertes
250 g (½ lb) de lard salé
1 gros poireau, finement tranché
1 petit oignon, émincé
2 gousses d'ail
Persil, sarriette, cerfeuil
Sel et poivre au goût
3-4 litres (12-16 tasses) d'eau
4-5 petites pommes de terre, en petits cubes
Sauce soja pour assaisonner ensuite

Faire tremper les lentilles quelques heures puis les cuire un peu, sans sel, et les écumer. Ajouter le reste des ingrédients, sauf les pommes de terre qu'on incorpore à la dernière demi-heure de cuisson. Mijoter 3-4 heures. Servir dans des bols et assaisonner avec un peu de sauce soja véritable (tamari ou autre).

FÈVES AU LARD À LA QUÉBÉCOISE

500 g (1 lb) de fèves blanches
250 ml (1 tasse) de mélasse
1 c. à thé (à café) de moutarde sèche
2 oignons, coupés en quartiers
1 feuille de laurier
250 g (½ lb) de lard salé bien en chair
Sarriette
Poivre
Eau pour couvrir

Faire tremper les fèves dans de l'eau froide pendant 8 heures au moins puis les cuire, sans sel, dans beaucoup d'eau. Quand elles sont cuites (en soufflant sur une fève, la peau se soulève), les égoutter puis les mettre avec le reste des ingrédients dans un gros pot de grès. Couvrir d'eau et mijoter à four doux, à l'étouffée, pendant 4-5 heures, en mélangeant bien à quelques reprises et en ajoutant de l'eau, si nécessaire. Découvrir le pot et cuire 1 à 2 heures de plus pour faire brunir les fèves, en les brassant à plusieurs reprises.

CHEVRIERS (FLAGEOLETS) AUX HERBES

400-500 g (1 lb) de chevriers
250 g (½ lb) de lard salé
1 oignon piqué de 2 clous de girofle
1 gousse d'ail
1 carotte, coupée en petits cubes
1 bouquet garni
Sarriette au goût
Un soupçon de poivre

Faire tremper les chevriers dans de l'eau froide pendant quelques heures puis les égoutter et rincer à fond. Les mettre dans un chaudron avec de l'eau, les cuire un peu puis écumer le liquide. Ajouter le reste des ingrédients, mijoter à l'étouffée longuement, en touillant à plusieurs reprises.

BOUILLI DE BŒUF

1 ½ kg (3 lb) de bœuf en cubes
Huile et beurre
3-4 oignons, grossièrement hachés
Sel et poivre
1 feuille de laurier
Quelques branches de sarriette
Riche bouillon ou consommé de bœuf pour couvrir
1 petit navet, coupé en 8
1 chou, coupé en 8
Carottes et haricots
Autres herbes au goût : marjolaine, persil, thym…

Saisir et rôtir le bœuf dans un peu d'huile et de beurre.
Faire revenir ensuite les oignons avec la viande. Assaisonner, ajouter le laurier, la sarriette et du bouillon pour couvrir. Mijoter 2-3 heures à l'étouffée puis ajouter les légumes : le navet et le chou d'abord, puis les carottes et, enfin, les haricots attachés en petits paquets. Ajouter un peu de persil frais en fin de cuisson et servir le bouilli avec des pommes de terre cuites à part.

FRAIS-CUEILLIS AU LARD
(4 personnes)

400 g (14 oz) de lard salé
4 oignons, en quartiers
8-12 pommes de terre nouvelles
8-12 carottes nouvelles
4 petits choux-raves
Sarriette, marjolaine, livèche
400 g (14 oz) de haricots
200 g (7 oz) de pois mange-tout (ou pois)
Cerfeuil et persil, hachés
Sel et poivre au goût

Dessaler le lard en le faisant tremper en plusieurs eaux très froides puis le couper en morceaux d'une bouchée. Le faire revenir avec les oignons puis ajouter les pommes de terre, les carottes et les choux-raves coupés en assez gros morceaux. Incorporer la sarriette, la marjolaine et la livèche et cuire 15 minutes puis ajouter les haricots. Cuire 10 minutes puis ajouter les pois mange-tout. (À noter que ces temps de cuisson sont relatifs, car il faut tenir compte de la taille et de la tendreté des légumes. Idéalement, on fait cette recette avec des légumes frais cueillis du jardin et on peut y ajouter tout autre légume au goût. Quoi qu'on y mette, il importe qu'une fois cuits, les légumes soient tendres mais encore croquants.) Assaisonner avec un peu de cerfeuil et persil hachés, sel et poivre, si nécessaire. Mélanger délicatement et servir avec le jus de cuisson. Un plat simple mais délicieux.

SAUCE ARGENTINE À LA SARRIETTE
(pour viandes grillées)

1 oignon
6 gousses d'ail
125 ml (½ tasse) de feuilles de sarriette fraîches
1 petit bouquet de persil
65 ml (¼ tasse) de jus de citron
200 ml (¾ de tasse) d'huile d'olive
Sel et poivre au goût

Hacher finement l'oignon, l'ail, la sarriette et le persil. Les placer dans un grand bol à salade et incorporer, petit à petit, le jus de citron et l'huile puis le sel et le poivre. Laisser mûrir le tout 15 jours au réfrigérateur.

LIQUEUR DES SATYRES

Mettre à macérer, pendant 4-6 semaines, dans 1 litre (4 tasses) d'alcool, 25 g (1 oz) de chacune des herbes suivantes : menthe, romarin, sauge, origan et sarriette. Ajouter une demi-noix de muscade râpée, une douzaine de clous de girofle, quelques baies de genévrier concassées et un peu de cannelle concassée. Filtrer ensuite le tout et l'additionner de sucre au goût, après avoir fait fondre celui-ci dans un peu d'eau. À boire à petites doses.

La sauge

*« Pourquoi mourrait celui qui cultive
la sauge dans son jardin ? »*
École de Salerne

Origine du nom *Salvia officinalis*. Le nom provient du latin *salvus*, « préservé, sauvé », et fait allusion à l'action régénératrice de la plante sur l'organisme.

Mythes et légendes Déjà connue des Aryens, la sauge était pour les Romains « l'Herbe Sacrée », car ils croyaient la plante dotée de toutes les vertus. En Gaule, les Druides la tenaient pour une plante magique capable de guérir toutes les maladies et même de ressusciter les morts. Selon un auteur du 18e siècle, les Chinois prisaient si fort la sauge qu'ils échangeaient volontiers deux caisses de thé contre une de ses feuilles. C'est, pour de nombreux peuples, et ce, depuis tout temps, la plante médicinale par excellence.

Description botanique De la famille des Labiées, la sauge est une plante vivace, à grandes feuilles d'un vert-grisâtre et à fleurs violettes qui peut atteindre 25-30 cm (10-12 po) de hauteur. Toute la plante dégage une odeur à la fois poivrée, camphrée, chaude et un peu amère. Les sauges les meilleures (il en existe plus de 500 variétés) proviennent de Grèce.

Mode de culture Semis : Semis en pleine terre en avril-mai ou, pour en avoir la première année, semis intérieur en mars ou achat de plants. C'est une bonne plante de rocaille. **Sol :** Léger, calcaire, légèrement fumé, bien drainé. **Exposition :** Plein soleil. **Distance entre les plants :** 15 cm (6 po) (et plus les années suivantes). **Soins :** Sarclages au début. Protéger les plants en hiver. Division de touffes tous les 3-4 ans. **Récolte et conservation :** Prélever les tiges au besoin. Récolter au tout début de la floraison et sécher rapidement en petits bouquets. Les feuilles entières peuvent aussi être blanchies une minute en eau bouillante et congelées ;

on peut aussi les conserver dans le vinaigre. **Culture intérieure :** La sauge exige beaucoup de soleil, un sol calcaire et on doit laisser sécher le sol entre les arrosages.

Usages En cuisine, la sauge aromatise bien le porc, l'agneau, le veau, les volailles (canard, oie, poulet), les poissons, diverses sauces et farces. La plante doit être utilisée avec discrétion.

Médicinalement, la sauge est tonique du système nerveux et de l'appareil digestif, antispasmodique, diurétique et hypertensive (donc à proscrire aux gens souffrant de haute pression). L'infusion se fait à raison de 1 c. à thé (à café) par 250 ml (1 tasse) d'eau. L'essence s'emploie, avec précaution, à raison de 2-4 gouttes diluées dans un peu d'alcool. Riche en vitamines A et C, la sauge est un excellent préventif de la grippe et tonique du cuir chevelu (voir recettes). L'essence est utilisée en parfumerie.

RECETTES
• • • • • • • • • • • • • •

SALTIMBOCCA
(3 personnes)

300 g (10 oz) de petites escalopes de veau, coupées
en 12 morceaux
6 feuilles de sauge fraîche, coupées en deux
12 petites tranches de prosciutto
Beurre et vin blanc sec
Sel et poivre au goût

Couper les escalopes en douze morceaux environ. Sur chacune, placer ½ feuille de sauge puis le prosciutto et épingler les trois ingrédients avec un cure-dent. Sauter les escalopes au beurre du côté du jambon d'abord puis de l'autre. Retirer la viande de la poêle puis déglacer celle-ci à feu vif avec un peu de beurre, du vin blanc sec, sel et poivre au goût et verser aussitôt sur la viande. Le nom *saltimbocca* signifie « saute-en-bouche ». À servir avec des pâtes fraîches et, par exemple, du fenouil de Florence.

STEAKINIS ALLA TICINESE
(3 personnes)

1 gros filet de porc
Sel d'herbes
9 feuilles de sauge
3 tranches de bacon, coupées en 3
Beurre et vin blanc sec
Sel et poivre au goût

Trancher le filet en oblique, en 9 morceaux puis l'assaisonner. Sur chacun, placer 1 feuille de sauge puis le bacon et épingler les trois ingrédients avec un cure-dent. Sauter 1 ½ minute du côté du bacon d'abord puis 1 minute de l'autre. Retirer la viande de la poêle puis déglacer celle-ci à feu vif avec un peu de beurre et du vin blanc, assaisonner et verser aussitôt sur la viande. Servir avec des pâtes fraîches et des tomates coupées en deux, sautées à l'huile d'olive et légèrement assaisonnées. Cette recette est une variante suisse de la précédente.

CAILLES À LA MOUQUIN
(4 personnes)

3-4 échalotes françaises, émincées
2 gousses d'ail, broyées
110 g (½ tasse) de beurre
1 feuille de laurier
1 c. à thé (à café) de grains de poivre noir
2 clous de girofle
8 cailles
500 ml (2 tasses) de vin blanc
500 ml (2 tasses) de crème sure
1 c. à soupe de ciboulette, hachée
7-8 feuilles de sauge, hachée
½ c. à thé (à café) de sel
Un peu de poivre
1 pincée de poivre de Cayenne

Faire revenir les échalotes et l'ail dans le beurre avec le laurier, les grains de poivre et les clous de girofle, pendant 8 minutes, en brassant le tout constamment. Saisir et rôtir les cailles dans ce beurre puis les couvrir de vin blanc et mijoter à l'étouffée pendant 30-40 minutes. Au bout de ce temps, retirer les cailles du chaudron, passer la sauce et y incorporer la crème sure. Ajouter la ciboulette, la sauge, le sel et le poivre et du poivre de Cayenne au goût. Remettre les cailles dans la sauce, ramener au point d'ébullition et servir aussitôt. Quelques morilles fraîches ou séchées rendent ce plat encore plus succulent. Accompagnements suggérés : du riz sauvage et un légume tendre (asperge, salsifis ou autre).

RAGOÛT DE PATTES DE COCHON

2 pieds de porc
2 oignons, en quartiers
2 gousses d'ail entières
3-4 carottes, tranchées
3-4 clous de girofle
1 feuille de laurier
7-8 feuilles de sauge
Persil, haché
Farine grillée

Ébouillanter les pieds de porc puis les égoutter et placer dans un grand chaudron avec le reste des ingrédients sauf le persil et la farine grillée. Mijoter le tout 3-4 heures, jusqu'à ce que la viande soit bien tendre et commence à se défaire. Délayer la farine grillée dans un peu de bouillon de cuisson puis incorporer au reste avec le persil haché. Servir avec des pommes de terre bouillies.

RÔTI DE PORC

1 pièce de 2-3 kg (4-5 lb) de longe de porc
3-4 gousses d'ail
Sel et poivre au goût
Morceau de couenne ou bacon
750 ml (3 tasses) d'eau bouillante
1 c. à thé (à café) de sauge, hachée
1 c. à thé (à café) de thym
Petites pommes de terre nouvelles
Petits oignons blancs ou échalotes françaises

Faire de petites entailles dans la viande et y piquer des morceaux d'ail puis frotter la pièce de sel et de poivre. Foncer le fond de la lèchefrite avec la couenne ou le bacon, placer la pièce de viande dessus et saisir à four chaud (210 °C, environ 410 °F). Ajouter ensuite l'eau bouillante et réduire la chaleur à 150 °C (325 °F environ) et cuire en comptant 40 minutes environ par 500 g (1 lb) de viande. Arroser la viande à plusieurs reprises en cours de cuisson. Une heure avant la fin de la cuisson, ajouter les fines herbes, les pommes de terre et les oignons qu'on tourne dans le jus de cuisson pour les brunir.

GRAISSE DE RÔTI

Une fois la pièce de viande et les légumes retirés de la lèchefrite, y mettre 375-500 ml (1 ½-2 tasses) d'eau et mijoter le tout 30-45 minutes. Passer le liquide dans un tamis et le couler dans des pots de verre. Laisser prendre au froid.

FARCE ANGLAISE À LA SAUGE ET À L'OIGNON
(pour dinde)

2 gros oignons, émincés
1 gros morceau de beurre
2 branches de céleri
2 c. à soupe de feuilles de sauge, hachées
1 branche de thym (feuilles hachées)
1,75 litre (7 tasses) de mie de pain frais
Sel et poivre au goût
1 œuf
250 ml (1 tasse) de lait

Faire revenir les oignons dans le beurre puis ajouter le céleri finement tranché, la sauge hachée et le thym. Ajouter ensuite le pain frotté entre les mains, assaisonner. Quand le mélange est froid, incorporer l'œuf battu et le lait. Pour une grosse dinde, doubler ou tripler les proportions.

SAUCE À LA SAUGE ET À L'OIGNON

2 c. à soupe de beurre
2 oignons, émincés
375 ml (1 ½ tasse) de bouillon de bœuf
1 c. à thé (à café) de sauge, finement hachée
2 c. à soupe de mie de pain frais
Sel et poivre au goût

Faire fondre le beurre dans la poêle, ajouter les oignons et les faire revenir jusqu'à ce qu'ils commencent à brunir. Ajouter le bouillon, amener à ébullition. Incorporer ensuite la sauge, la mie de pain frottée entre les mains, du sel et du poivre au goût. Servir avec du rôti de porc, en incorporant un peu du jus de sa cuisson à la sauce préparée.

EAU MIRACULEUSE

30 g (1 oz) d'angélique
30 g (1 oz) de romarin
30 g (1 oz) de marjolaine
30 g (1 oz) de baume des jardins
30 g (1 oz) d'hysope
30 g (1 oz) d'absinthe
30 g (1 oz) de menthe
30 g (1 oz) de thym
45 g (1 ½ oz) de sauge
2 ½ litres (10 tasses) d'alcool

Mettre dans une bouteille exposée 15 jours au soleil. Filtrer, mettre en bouteilles et boucher. À employer contre les troubles de l'appareil digestif. (Formule de Jean Valnet)

INFUSION(S) POUR LES CHEVEUX

On peut composer des infusions pour les cheveux en faisant mijoter 15 minutes, dans 1 litre (4 tasses) d'eau, 50-100 g (2-4 oz) des plantes séchées suivantes au choix :

La sauge, l'ortie, le thym, la bardane, la capucine (feuilles et graines vertes fraîches), qui sont d'excellents toniques du cuir chevelu, le romarin, qui tonifie le cuir chevelu et donne plus d'éclat aux cheveux noirs (avec des clous de girofle), la camomille, qui accentue la couleur des cheveux blonds en leur donnant plus d'éclat, l'hamamélis, un excellent astringent pour les cheveux gras. Pour les cheveux blancs, on emploiera du thé noir qui leur donne une teinte mordorée naturelle.

Appliquer l'infusion après avoir lavé les cheveux avec un shampooing et masser longuement le cuir chevelu et les cheveux. Couvrir la tête d'une serviette humide et laisser les huiles des herbes faire leur travail pendant 20 minutes au moins. Rincer, si désiré. L'infusion peut se garder 3-4 jours au froid, pas plus.

FORMULES ANTIGRIPPE
(préventives ou curatives)

Infusions à boire : Faire infuser, 8 à 12 minutes, dans 1 litre (4 tasses) d'eau bouillante, 5 g (¼ oz) de chacune des herbes suivantes : hysope, lavande, marrube, menthe poivrée, romarin, sauge et thym (aiguilles de pin et feuilles d'eucalyptus sont aussi recommandées). Compter 35 g (1 ½ oz) d'herbes en tout. Boire 750 ml (3 tasses) d'infusion au moins.

Infusions pour bains : Faire infuser, 8 à 12 minutes, dans 1 litre (4 tasses) d'eau bouillante, 10 g (½ oz) de chacune des herbes suivantes : aiguilles de pin, feuilles d'eucalyptus, hysope, lavande, marrube, menthe poivrée, romarin, sauge et thym. Compter 100 à 120 g (4 à 4 ½ oz) d'herbes en tout. Ajouter à l'eau du bain en filtrant dans une passoire. Séjourner dans le bain 20 minutes au moins.

Bains d'huiles essentielles : Diluer dans un peu d'alcool ou de l'huile d'amande douce, 2-3 gouttes de chacune des huiles essentielles des plantes suivantes : pin ou sapin, eucalyptus, hysope, lavande, menthe poivrée, sauge et thym. Compter 20 gouttes d'huiles essentielles en tout. Ajouter à l'eau du bain et y séjourner 20 minutes au moins.

FORMULES ANTIRHUMATISMALES

Procéder comme pour les formules antigrippe en utilisant les herbes suivantes : estragon, hysope, lavande, menthe poivrée, origan, romarin, sauge et thym.

FORMULE DÉPURATIVE ET DIURÉTIQUE

Infusion à boire : Faire infuser, 8 à 12 minutes, dans ½ litre (2 tasses) d'eau bouillante, 5 g (¼ oz) de chacune des herbes suivantes : lavande, livèche, romarin, sauge, thym et verge d'or. Décocter à part (faire mijoter) dans ½ litre

(2 tasses) d'eau : graines d'anis et de fenouil, baies de genévrier et queues de cerise. Compter 35 g (1 ½ oz) d'herbes et graines en tout. Mélanger les deux liquides filtrés et boire toute l'infusion, à jeun, en 2 ou 3 fois. Répéter l'opération 2 jours d'affilée puis suspendre ce traitement 1 semaine au moins avant de recommencer.

Le thym
(et le serpolet)

« Venez, venez, mes chevreaux, mes agnelets
Dans le laurier, le thym et le serpolet… »

L'eau vive, Guy Béart

Origine du nom *Thymus vulgaris* et *serpyllum* (Serpolet ou Thym sauvage). Le nom de thym provient du grec *thumon,* « odeur » (peut-être par l'égyptien *tham*) ; quant au nom de serpolet, il vient du grec *herpillos,* « ramper ».

Mythes et légendes Originaire du bassin méditerranéen (Portugal, Espagne, Grèce et Provence), le thym serait né, selon une légende grecque, des larmes de la belle Hélène de Troie. Alors que les Égyptiens l'employaient pour l'embaumement des morts, la plante était consacrée à Vénus par les Romains. Au Moyen Âge, cette « herbe de moult bonne odeur et de grande douceur » (B. de Crémone) était cultivée dans les jardins des monastères avec un grand nombre d'autres herbes médicinales. « Il était coutumier alors de broder sur l'oriflamme des chevaliers une branche de thym couronnée d'une abeille pour leur rappeler que l'impétuosité que l'on attendait d'eux ne devait pas exclure la douceur. » (Louis Lagriffe)

Description botanique De la famille des Labiées, le thym est une plante vivace (peu rustique au Québec) qui forme un petit buisson à feuilles minuscules et fleurs violacées. La plante peut atteindre 20 cm (8 po) de hauteur. Le serpolet en est la forme sauvage, et rampante ; la plante, qui abonde sur le Mont-Royal, forme de petits coussins ronds. Une autre variété est le thym citronné. Tous les thyms sont très ornementaux, spécialement dans une rocaille. Tous dégagent plus ou moins une odeur légèrement poivrée et camphrée.

Mode de culture Semis: Semis intérieur en mars-avril ou en pleine terre fin avril. Comme la germination des graines est très longue (3-4 semaines) et la croissance, lente, l'achat de plants est avantageux. La plante se ressème souvent d'elle-même. **Sol:** Léger, calcaire, assez riche, bien drainé. **Exposition:** Plein soleil. **Soins:** Sarclages au début. Rasage et protection des plants en hiver. Division des racines tous les 3-4 ans. **Récolte et conservation:** Cueillir les rameaux au besoin. Récolter la plante au début de la floraison. La plante se conserve bien séchée. **Culture intérieure:** La plante exige beaucoup de soleil, un sol calcaire, riche et bien drainé, beaucoup d'humidité ambiante, quoiqu'il faille laisser sécher le sol entre les arrosages. Si l'air est trop sec, poser un bol d'eau près de la plante.

Usages En cuisine, le thym s'emploie, toujours avec discrétion, dans les soupes, les plats mijotés, les salades, les sauces, les farces et les marinades de viandes et de poissons. Il aromatise bien les volailles, les viandes, surtout l'agneau, le veau, le cochon de lait et le gibier. C'est une composante essentielle de tout bouquet garni.

Médicinalement, le thym et le serpolet (action moins forte) sont stimulants, antispasmodiques et peut-être aphrodisiaques. Le thym est «l'un des meilleurs remèdes des affections dues au refroidissement (grippe, rhume de cerveau, courbatures, frissons…)» (Jean Valnet). L'essence s'emploie à raison de 1 à 5 gouttes sur un cube de sucre. Le thym est aussi très efficace contre le torticolis et les douleurs rhumatismales (voir Eau vulnéraire, p. 151) et les piqûres d'insectes. La plante est aussi un excellent stimulant capillaire (voir Infusion(s) pour les cheveux). Le thym donne un miel très délicat. Le camphre de thym (thymol) est un antiseptique puissant à n'employer qu'à l'extérieur de l'organisme.

RECETTES

CLAM CHOWDER

Huile ou gras animal
2 oignons moyens, émincés
2 branches de céleri, finement tranchées
3 pommes de terre, coupées en petits dés
Sel et poivre au goût
½ c. à thé (à café) de thym
750 ml-1 litre (3-4 tasses) de lait
2 boîtes de conserve de petites palourdes (avec jus)
Persil, émincé (un peu)
Une noix de beurre

Faire revenir, dans un peu d'huile ou de gras, les oignons, le céleri puis les pommes de terre. Assaisonner avec du sel, du poivre et le thym. Incorporer le lait, mijoter très légèrement puis ajouter les palourdes avec leur jus. Ramener à ébullition puis fermer le feu et laisser reposer 1 heure. Ajouter ensuite le beurre, un peu de persil frais émincé; échauffer, sans bouillir, et servir aussitôt. Cette soupe, qu'on peut faire avec des huîtres au lieu de palourdes, est originaire de la Nouvelle-Angleterre et doit être assez épaisse.

CROÛTES AUX CHAMPIGNONS

Champignons de couche ou, mieux, champignons sauvages
(chanterelles, morilles, pieds-de-mouton, etc.)
Échalotes françaises
Beurre ou huile d'olive
Thym frais, haché
Sel et poivre au goût
Crème 35 % ou sauce béchamel
Tranches de pain français passées au four ou, mieux,
des vol-au-vent

Nettoyer les champignons puis les trancher ou hacher. Faire revenir quelques échalotes finement tranchées dans l'huile ou le beurre puis ajouter les champignons, le thym et un peu de sel et poivre au goût. (On peut, à ce stade-ci, si l'on a fait récolte abondante, les congeler tels quels et reprendre la recette au moment voulu.) Réduire ensuite partiellement l'eau dégorgée par les champignons puis ajouter la crème ou verser les champignons dans une sauce béchamel assez épaisse. Parachever l'assaisonnement et servir, comme entrée, sur le pain ou les vol-au-vent chauds.

CHAMPIGNONS AU THYM
(4 personnes)

12-16 gros champignons de couche
Huile d'olive
Sel et poivre au goût
2-3 gousses d'ail, broyées
Thym et persil, hachés
Le jus de 1 citron

Après avoir pratiqué une large incision dans leurs chapeaux, arroser d'huile d'olive les champignons débarrassés de leurs pieds qu'on réserve. Assaisonner les champignons. Laisser reposer 2-3 heures puis retirer les champignons de l'huile, les égoutter et farcir avec l'ail broyé, les herbes et les pieds hachés en mélange. Placer les champignons dans un plat en pyrex, les arroser de l'huile de trempage et passer sous le gril quelques minutes. Les arroser de jus de citron juste avant de les servir comme entrée ou légume d'accompagnement.

POULET AUX HERBES DE PROVENCE
(4 personnes)

1 c. à thé (à café) de sel
Quelques tours de moulin de poivre noir
1 poulet de 1,2 à 1,4 kg (2-3 lb)
Beurre et huile d'olive

4 gousses d'ail, coupées en deux
½ c. à thé (à café) de basilic, haché
¼ de c. à thé (à café) de romarin, haché
¼ c. à thé (à café) de thym, haché

Assaisonner l'intérieur du poulet puis le saisir et rôtir de tous les côtés dans un peu d'huile et de beurre. Le placer dans une cocotte, assaisonner avec l'ail et les herbes et jeter le gras de cuisson dessus. Cuire à four chaud 1 heure ou plus en arrosant souvent le poulet avec son jus.

BŒUF BOURGUIGNON
(4 personnes)

1 kg (2 lb) de bœuf en cubes
Vin rouge (pour couvrir la viande)
2 c. à soupe d'huile d'olive
2 oignons, coupés en assez gros morceaux
1 feuille de laurier
Thym et persil
5-6 carottes, tranchées
500 g (1 lb) de champignons, coupés gros
Farine grillée
1 petit verre de cognac (facultatif)

Placer le bœuf dans un plat, le couvrir de vin rouge et de l'huile d'olive, l'assaisonner avec les oignons et les herbes et laisser macérer quelques heures. Retirer le bœuf de la marinade, l'égoutter à fond et l'assécher un peu puis le saisir et rôtir dans un peu d'huile et de beurre. Ajouter ensuite les carottes, les champignons et la marinade, en l'additionnant d'un peu d'eau. Mijoter à l'étouffée jusqu'à ce que la viande soit tendre. Épaissir avec de la farine grillée, si désiré, et parfumer de cognac préalablement flambé.

CHANTERELLES MARINÉES
(pour 2 ½ litres)

6 litres (24 tasses) de petites chanterelles entières
1,25 litre (5 tasses) de vinaigre blanc
Gros sel
Grains de poivre noir
Feuilles de laurier
Gousses d'ail
Branches de thym frais

Nettoyer les chanterelles et, si désiré, les rincer rapidement dans de l'eau très froide (opération considérée comme criminelle par certains). Les égoutter puis étaler sur un linge pour les assécher. Amener le vinaigre à ébullition après l'avoir salé un peu. Jeter les champignons dans le vinaigre et les blanchir 2-3 minutes, pas plus. Retirer les chanterelles du vinaigre et en remplir les pots stérilisés et chauds (cinq d'un demi-litre [2 tasses]). Placer dans chaque pot quelques grains de poivre, 1 feuille de laurier, 1 gousse d'ail et 1 branche de thym. Couvrir du vinaigre ramené à ébullition et sceller aussitôt les pots. À servir comme condiment avec, en particulier, la raclette ou la fondue suisses.

MARINADES POUR JAMBON(S)
(Louis Lagriffe)

«… Les jambons sont mis pendant 3 semaines dans une saumure faite d'un demi-litre (2 tasses) de vinaigre, 10 gousses d'ail et d'échalotes hachées, de quelques feuilles de laurier, 4 ou 5 clous de girofle, quelques baies de genièvre, plusieurs poignées de thym, de serpolet et de sarriette. Bien les arroser avec cette saumure. Une fois retirés de cette saumure, les fumer 15 jours avec du genièvre en jetant dans le feu genièvre, thym et serpolet.»

MARINADE POUR TOUTES VIANDES
(Jean Valnet)

«... faire macérer dans ½ litre (2 tasses) de vin blanc un bouquet de thym, un de sarriette, quelques échalotes, 3 ou 4 gousses d'ail, 2 feuilles de laurier, quelques clous de girofle et ajouter 2 c. à soupe de sel, 15 g (½ oz) de poivre moulu.»

POUDRE DENTIFRICE II

Mélanger, en parties égales, du thym pulvérisé et de l'argile. On peut aussi utiliser les graines de fenouil et la sauge à la fabrication de cette poudre qui est un excellent fortifiant des gencives.

EAU VULNÉRAIRE
(Pierre Lieutaghi)

«... faire macérer, pendant 8 à 10 jours, dans 1,5 litre (6 tasses) d'alcool, les plantes suivantes (30 g/1 oz de chacune): Thym, Serpolet, Romarin, Lavande, Hysope, Mélisse, Sauge, Origan, Absinthe, Camomille romaine, Millepertuis. Passer et filtrer.» Appliquer en compresse, en mouillant un linge de cette eau et en l'appliquant sur la partie douloureuse; ou frotter avec cette eau, pour bien pénétrer la peau.

TISANE POUR UN
«LENDEMAIN DE LA VEILLE»

Pour annuler ou, à tout le moins réduire les effets désagréables de l'alcool, préparer une infusion de thym et, si disponibles, de graines de persil, y ajouter une pincée de sel et sucrer au goût. (Le rôle du sel est, en association avec le sucre, de réhydrater l'organisme.) Un truc plus simple encore consiste à manger beaucoup de sucre.

Recettes diverses

BEURRE AUX FINES HERBES

Procéder comme pour le Beurre d'estragon, p. 75, en le remplaçant par des fines herbes au goût (cerfeuil, ciboulette, estragon, persil…).

BEURRE DE FINES HERBES
(à congeler)

Bien amalgamer 500 ml (2 tasses) de l'herbe fraîche choisie et finement hachée et 125 ml (½ tasse) d'huile d'olive ou mélanger 125 ml (½ tasse) d'herbe et 110 g (½ tasse) de beurre. Ces mélanges se conservent 6 mois et plus au congélateur. Toutes les herbes peuvent être gardées de cette façon. Ne pas oublier d'étiqueter (nom de l'herbe, année) les contenants avant de les congeler.

BOUQUET GARNI

Mélange d'herbes employé pour aromatiser les soupes, les viandes et légumes braisés, divers plats mijotés, etc. La formule classique comprend 2 petites branches de persil, 1 de thym et 1 petite feuille de laurier. On ficèle ces plantes ensemble et on les retire du chaudron à la fin de la cuisson. Les herbes séchées sont mises, elles, dans un petit sac de mousseline (improprement appelée «coton-fromage» au Québec). On peut ajouter, selon les recettes, et au goût: céleri (ou graines de céleri), cerfeuil, ciboulette, fenouil (ou graines de fenouil), etc. Les formules suivantes sont aussi utilisées:

Pour soupes et plats mijotés de viandes: 1 partie de thym, 1 partie de sauge, 2 parties de sarriette, 2 parties de marjolaine, 1-2 parties de romarin.

Pour soupes et plats de poisson : ½ partie d'origan, 1 partie d'aneth, 1 partie de thym, 2 parties de mélisse, 2 parties de basilic, 2 parties de sarriette.

CAROTTES AUX FINES HERBES

Petites carottes nouvelles
Beurre et huile d'olive
Sel et poivre au goût
Cerfeuil et persil frais, hachés (beaucoup)

Cuire les carottes à la marguerite puis les égoutter, les trancher et sauter dans un peu d'huile et de beurre. Assaisonner au goût puis couvrir de cerfeuil et de persil hachés. Mélanger délicatement et servir.

CÔTELETTES DE VEAU AUX FINES HERBES

Côtelettes de veau
Beurre
Échalotes françaises, hachées
Vin blanc
Persil, cerfeuil, estragon frais, hachés
Sel et poivre au goût

Rôtir les côtelettes dans le beurre puis les retirer de la poêle et les placer dans un plat de service chaud (gardé ensuite au four). Faire revenir les échalotes dans la poêle puis déglacer avec du vin blanc et réduire un peu la sauce. Ajouter les herbes, assaisonner au goût. Verser cette sauce sur les côtelettes et servir.

COURT-BOUILLON
(pour poissons)

Parties égales d'eau et de vin blanc
(établies selon la taille du poisson à cuire)
1-2 oignons, en quartiers
1 gousse d'ail entière
1-2 carottes, tranchées
1 petite branche de céleri (ou livèche)
Quelques grains de poivre noir
Sel au goût
1 bouquet garni
1-2 échalotes françaises
1 petit clou de girofle
Autres herbes au goût (aneth, fenouil, mélisse)

Mijoter le tout 1 heure ou plus avant d'y cuire le poisson. On peut ensuite utiliser le court-bouillon filtré pour faire une soupe.

CROÛTONS AU BEURRE À L'AIL

1-2 petites baguettes de pain français
Beurre à l'ail (voir p. 36)

Trancher le pain assez mince, le laisser sécher un peu puis le couper en petits cubes. Placer ceux-ci dans un grand bol, faire fondre le beurre à l'ail (beaucoup) et le verser en filet sur les croûtons, en mélangeant délicatement ceux-ci de manière à ce qu'ils s'imprègnent tous de beurre. Passer à four moyen, sur une plaque à biscuits, le temps que les croûtons deviennent dorés. On peut, au goût, et selon le plat servi, se servir d'un beurre à l'ail des bois, d'aneth, de basilic, etc.

FINES HERBES

Mélange d'herbes employées pour aromatiser les omelettes, les viandes grillées, les poissons, les plats mijotés, etc. Le mélange classique comprend du cerfeuil, de la ciboulette, de l'estragon et du persil. On peut aussi ajouter, au goût, une ou plusieurs des herbes suivantes: basilic, marjolaine, menthe, romarin, sarriette, sauge et thym.

HERBES SALÉES

Mélange d'herbes employées pour aromatiser les soupes et les plats mijotés. On hache d'abord les herbes puis on les place en couches dans un grand plat et on les couvre d'un peu de gros sel. Ensuite, on les mélange et on en bourre le plus possible des pots de verre, de manière à en chasser l'oxygène et que les herbes baignent dans l'eau qu'elles dégorgent. Si les herbes à huiles délicates se prêtent mal à cette opération (basilic, cerfeuil et menthe), d'autres se conservent très bien tout l'hiver au réfrigérateur. Ce sont: la ciboulette, la livèche, le persil et la sarriette, auxquelles on adjoint des feuilles de carottes hachées et des carottes râpées.

MAQUEREAUX AUX FINES HERBES

Petits maquereaux bien frais
Beurre et huile
Échalotes françaises, hachées
Persil et estragon, hachés
Un peu de vinaigre
Beurre
Sel et poivre au goût

Faire deux entailles assez profondes le long du flanc de chaque maquereau puis saisir et griller les poissons dans un peu de beurre et d'huile, en ne les retournant qu'une fois. Les retirer de la poêle, les ouvrir en deux puis retirer l'arête centrale. Placer le poisson dans un plat en pyrex, l'aromatiser avec les échalotes et les herbes. Assaisonner au goût, ajouter un peu d'eau et de vinaigre, quelques noisettes de beurre et cuire quelques minutes sous le gril. Servir avec une bonne gelée de groseilles… à maquereaux.

MARINADES POUR VIANDES

Une marinade est une préparation dans laquelle on fait tremper une pièce de viande pour l'attendrir et en atténuer la saveur forte tout en l'aromatisant. En voici trois formules classiques :

AGNEAU
(pour une pièce de 2,25 kg et plus)

250 ml (1 tasse) d'oignons, finement tranchés
250 ml (1 tasse) de carottes, finement tranchées
80 ml (⅓ de tasse) de céleri, finement tranché
2 gousses d'ail, coupées en deux
125 ml (½ tasse) d'huile d'olive

Dans un chaudron de fonte émaillée, faire dorer (mais non brunir) les légumes dans l'huile d'olive pendant 5 minutes puis ajouter :

1,5 litre (6 tasses) de bon vin rouge
375 ml (1 ½ tasse) de vinaigre de vin rouge
1 c. à soupe de sel
1 c. à thé (à café) de grains de poivre noir
2 clous de girofle
5 branches de persil
2 feuilles de laurier
1 c. à soupe de romarin
½ c. à thé (à café) de baies de genièvre

Mijoter le tout, le chaudron semi-couvert, pendant 20 minutes. Laisser refroidir complètement la marinade avant d'y placer la pièce d'agneau. Tourner et arroser celle-ci 3-4 fois par jour pendant quelques jours. Laisser égoutter la pièce de viande 30 minutes avant de la cuire tel qu'indiqué dans les recettes.

BŒUF
(pour une pièce de 2,25 kg)

250 ml (1 tasse) de carottes, finement tranchées
125 ml (½ tasse) d'échalotes françaises, finement tranchées
125 ml (½ tasse) d'oignon, finement tranché
250 ml (1 tasse) de céleri, finement tranché
2 gousses d'ail, coupées en deux
1 c. à soupe de thym
2 feuilles de laurier
65 ml (¼ de tasse) de persil, haché
2 clous de girofle
1 c. à soupe de sel
¼ de c. à thé (à café) de poivre noir
1,25 litre (5 tasses) de bon vin rouge
80 ml (⅓ de tasse) de cognac (facultatif)
125 ml (½ tasse) d'huile d'olive

Placer la moitié des légumes et des épices dans le fond d'un plat de verre. Assaisonner la pièce de viande (sel et poivre) puis la placer dans le plat et la couvrir du reste des ingrédients. Mariner de 6 à 24 heures, en tournant et arrosant la viande à plusieurs reprises. Laisser égoutter la viande 30 minutes avant de la cuire tel qu'indiqué dans les recettes.

PORC
(pour une pièce de 2 kg)

2 c. à thé (à café) de sel
¼ de c. à thé (à café) de poivre noir
5-6 c. à soupe de jus de citron
5-6 c. à soupe d'huile d'olive
4 branches de persil
1 c. à soupe de thym
1 c. à soupe de sauge
2 feuilles de laurier
2 gousses d'ail, hachées

Assaisonner la viande puis mélanger le reste des ingrédients et y placer la viande. Tourner et arroser celle-ci quelques fois durant le temps de trempage. Bien égoutter et assécher la viande avant de la cuire.

OMELETTE AUX FINES HERBES
(4 personnes)

3 c. à soupe des herbes fraîches hachées suivantes :
cerfeuil, ciboulette, estragon et persil
8 œufs, battus
Sel et poivre au goût
Lait (facultatif)

Hacher les herbes, les ajouter aux œufs battus et assaisonner au goût. Allonger d'un peu de lait et, pour une omelette bien baveuse, cuire très doucement, à l'étouffée, le temps requis. Pour une omelette plus sèche, cuire à découvert et sans lait.

RECETTES DE LA ROME ANTIQUE

C'est grâce aux auteurs gastronomiques et aux poètes que nous sont parvenues un grand nombre de recettes de cette époque. Parmi celles faisant usage des fines herbes, mentionnons :

LE GARUM

Liqueur de poisson comparable au «nuoc-mâm» vietnamien, le garum était une base fondamentale de la cuisine des anciens Romains. Il était composé de poissons à chair grasse (anguilles, thons, maquereaux, sardines) macérés avec du sel pendant dix jours avec de l'aneth, du fenouil, de la coriandre, du serpolet et d'autres herbes, le tout placé au soleil jusqu'à décomposition complète. Le liquide était ensuite filtré et utilisé comme condiment.

LE MORETUM

Autre condiment de la cuisine latine, le moretum était une sorte de fromage épicé, aromatisé avec de l'ache (céleri sauvage), de l'ail, de la coriandre, de la menthe, de la rue, de la sarriette, du thym et de l'oignon. Le tout était pilé dans du vinaigre avec du poivre, épice alors aussi précieuse que l'or.

POISSON À LA SARRIETTE

Cette recette de Lucrèce consistait à cuire du poisson salé avec de la ciboulette, du garum et de l'eau. On l'arrosait ensuite avec de l'eau, du miel, du vinaigre et du vin cuit. On pouvait ensuite rajouter du garum au goût. Le tout était servi parsemé de sarriette fraîche hachée.

SAUCE À SANGLIER

Cette dernière recette, due à la plume d'Apicius, écrivain gastronomique de la Rome Antique, contenait : de l'aneth, du carvi, de l'ache, des graines de coriandre grillées et probablement broyées, de la livèche, du thym, de l'oignon, du poivre, du miel, du vinaigre, de la moutarde, de l'huile et du garum.

RECETTES DU MOYEN ÂGE

Bien qu'il faille attendre aux 17e et 18e siècles pour assister à la naissance de la gastronomie française telle que nous la connaissons aujourd'hui, il m'a paru intéressant de donner quelques recettes du Moyen Âge, ne serait-ce que pour en donner une idée. Les trois premières recettes sont tirées du *Viandier*, de Taillevent, le premier livre de cuisine français imprimé vers la fin du 15e siècle. Il se trouve un exemplaire de ce livre très rare à la Grande Bibliothèque, sous le titre *Le Manuscrit de la Bibliothèque Vaticane*.

BROUET VERTGAY

« Cuisiez tel grain comme vous vouldrez en vin et en eaue et en boullon de beuf, et de lart pour luy donner goust, puis convient bien frioler (frire) vostre grain ; puis affinez gingembre, saffren, persil, ung pou de sauge qui veult, et des moyeulx (jaunes) d'œufz tous cruz, et du pain tout passé parmy l'estamine, deffait de vostre boullon ; et i fault ung pou de verjuz et de bon froumage qui veult. »

BROUET VERT D'ŒFZ ET DE FROMMAGE

« Prenez persil et ung pou de sauge et bien ou de saffren en la verdeur et pain trempé, et deffaictes de purée ou d'eau boullie, et puis gingembre deffait de vin, et mettez boullir, puis mettez le frommage dedans et les œufz, quand ilz seront pochez en eau ; et soit lyant vertgay, et aucuns n'y mettent point de pain, mais y mettent layt d'amendes. »

CHAPPONS AUX HERBES OU VEEL (veau)

«Mettés les cuire en eaue, lart, persil, sauge, ysope, coq (une variété de tanaisie), vin, vert jus, saffren et gingembre, se vos voulez.»

MÉLANGE DE FINES HERBES
(recette tirée du *Livre fort excellent de cuysine,* paru en 1555)

«Prenés persil effuillé deulx poignées marjolaine effeuillée deux poignées et demye poignées ysope autant sariette autant sarpollet une poignée soulcye une poignée. Eu quant cest pour faire farce aulcuns y mettent soulcye et peu de baselicque. Elles servent à tous les potaiges et les fault faire seicher environ la Seinct Jehan Baptiste.»

RECETTES DU 18ᵉ SIÈCLE

Les proportions de ces recettes ont été établies par Barbara Ketcham Wheaton (voir Bibliographie).

BOUILLON ORDINAIRE, OU MITONNAGE POUR LA BASE DES POTAGES ET DES SAUCES

2 kg (4 lb) de ronde ou de gîte de bœuf
1 poule de 3 kg (6 lb) ou 2,25 kg (4 ½ lb) de jarret de veau
4 litres (16 tasses) d'eau
2 oignons
3 poireaux
1 racine de persil ou 6 brins de persil avec les feuilles
1 branche de céleri
1 clou de girofle
Sel au goût

«Ce bouillon doit être fait avec toute l'attention possible. On prend la quantité de viande nécessaire. La meilleure est la tranche, le gîte et le trumeau (jarret). On y ajoute une poule ou jarret de veau. Quand il est bien écumé, vous le salez légèrement, et y mettez les racines convenables, comme navets, carottes, panais, oignons, cellery et poireaux, avec un clou de gérofle et une racine de persil. Ce bouillon ou mitonnage sert à faire cuire tout ce qui se met sur les potages, comme volailles, gibier, grosse viande, et toutes les garnitures ou légumes, excepté les choux, radix, gros navets et quelques autres légumes dont on fait le potage à part. Une partie de la bonté de tous les bouillons dépend de l'attention et du soin que l'on prend.» (*Les dons de Camus,* François Marin, 1758)

HARICOTS VERTS EN SALADE

500 g (1 lb) de haricots verts
2 c. à thé (à café) de pimprenelle
1 c. à soupe de ciboulette
1 c. à soupe de cerfeuil
1 c. à soupe d'estragon
2 c. à soupe de persil
100 ml (3 ½ oz) d'huile
30 ml (2 c. à soupe) de vinaigre de vin
⅛ de c. à thé (à café) de poivre noir concassé

«Vos Haricots étant cuits, mettez-les à égoutter, faites les sécher entre deux linges, fendez-les en deux, si bon vous semble, dans leur longueur; dressez-les dans le plat que vous devés servir; faites-y autour un cordon de petites herbes hachées menues; sçavoir cerfeuil, pimprenelle, estragon, civette et persil. On les assaisonne sur la table, d'huile et vinaigre, avec un peu de poivre concassé. Quelques-uns font de ces salades diverses armoiries, comme Croix de Chevalier, Croix de Malthe, Étoile, ou quelques autres desseins.» (*Traité historique et pratique de la cuisine,* 1758)

SAUMON AUX FINES HERBES

1 c. à soupe de persil
2 c. à soupe de ciboule
1 c. à soupe d'échalotes
1 gousse d'ail
2 c. à soupe de champignons
2 c. à thé (à café) de basilic
¼ de c. à thé (à café) de sel
Poivre noir concassé au goût
2 darnes de saumon de 250 g (½ lb) chacune environ
100 g de chapelure blanche
30 g (2 c. à soupe) de beurre

« Foncez le plat que vous devez servir avec du bon beurre, persil, ciboules, échalotes, une pointe d'ail, champignons, un peu de basilic, le tout haché très-fin, sel, gros poivre ; arrangez dessus deux dardes de saumon frais ; assaisonnez dessus comme dessous ; parmez de mies de pain, et sur la mie de pain, remettez-y des petits morceaux de beurre gros comme des pois, proche les uns des autres, faites cuire sur un petit feu et un couvercle de tourtière. La cuisson faite, penchez le plat pour en égoutter le beurre ; servez dessous une sauce claire à l'Italienne, finie de bon goût. » (*Les soupers de la cour*, 1755)

PAIN AUX CHAMPIGNONS

1 tranche de pain ronde de 18 cm (7 po) de diamètre
et 2,5 cm (1 po) d'épaisseur
100 g (½ tasse) de beurre clarifié
750 g (1 ½ lb) de champignons
100 ml (3 ½ oz) d'eau
1 bouquet garni avec persil, thym et feuille de laurier
30 g (2 c. à soupe) de beurre
16 g (2 c. à soupe) de farine
1 c. à thé (à café) de sucre en poudre
½ c. à thé (à café) de sel
2 jaunes d'œufs
50 g (2 oz) de crème épaisse

«Il faut tourner les champignons, les couper, et les faire cuire avec un peu d'eau, un pain de beurre de Vanves, dont il en faut manier dans la farine, un bouquet. Quand ils sont cuits, y mettre un peu de sucre, une petite pincée de sel et les lier avec des jaunes d'œufs et de la crème. Vous prenez un grand croûton de pain, que vous passez dans du beurre. Quand il est passé et essuyé de son beurre, vous le mettez au fond du plat que vous devez servir, coupez-les en six, sans qu'il soit dérangé, et dressez le ragoût de champignons dessus.» (*Nouveau traité de la cuisine*, Menon, 1739)

CHAMPIGNONS À L'OLIVIER

800 g (1 ½ lb) de champignons
1 petit oignon
½ c. à thé (à café) de crème fraîche
45 g (3 c. à soupe) de beurre
2 c. à soupe de persil, haché
2 c. à soupe de ciboule, finement émincée

«Estans bien nettoyez, coupez les par quartiers, et les lavez dans plusieurs eaux l'un après l'autre pour en oster la terre; Estans bien nets, mettez-les entre deux plats avec un oignon et du sel, puis sur le réchaut, afin qu'ils jetterez leur eau. Estans pressez entre deux assiettes, prenez du beurre bien frais, avec persil et siboule, et les fricassez ; après celà mettez-les mitonner, et lors qu'ils seront bien cuits, vous y pouvez mettre de la crème, ou du blanc-manger, et servez. » (*Le Cuisinier françois,* F. de la Varenne, 1654) (Le blanc-manger mentionné dans la recette est un bouillon de poulet plutôt que le dessert québécois du même nom.)

ESSENCE DE JAMBON

250 g (½ lb) de jambon cuit bien maigre,
coupé en tranches fines
50 g (2 oz) de saindoux
8 g (1 c. à soupe) de farine
200 ml (¾ de tasse) de jus de veau (bouillon de veau)
Un bouquet garni fait de trois ciboules, quelques brins de
persil, de cerfeuil et de thym
2 clous de girofle
1 gousse d'ail
½ citron, coupé en tranches
50 g (2 oz) de champignons, émincés
2 c. à soupe de truffes, hachées (facultatif)
100 g (4 oz) de pain blanc rassis
1 ou 2 c. à thé (à café) de vinaigre de vin

« Il faut avoir de petites tranches de Jambon crud, les battre bien, et les passez dans la casserole avec un peu de lard fondu : mettez-les sur un réchaut allumé, et aïant une cuillère à la main, faites lui prendre couleur avec un peu de farine. Étant coloré, on y met du bon jus de Veau, un bouquet de ciboule et de fines herbes, du clou de girofle, une gousse d'ail, quelques tranches de citron, une poignée de champignons hachez, des truffes hachées, quelques croûtes de pain, et un filet de vinaigre. Lorsque tout cela est cuit, passez-le proprement par l'étamine, et mettez ce jus en lieu propre, sans qu'il bouïlle davantage :

Il vous servira pour toute sorte de choses où il entre du jambon.» (*Le Cuisinier roïal et bourgeois*, François Massialot, 1705)

SAUCE BÉCHAMEL

C'est, sans contredit, la sauce la plus célèbre et son invention est généralement attribuée à Louis de Béchamel, intendant à la cour de Louis XV. Pour la préparer, on fait d'abord fondre 2 c. à soupe de beurre dans la poêle qu'on retire ensuite du feu pour y incorporer, avec un fouet de métal, 2 c. à soupe de farine. Goutte à goutte d'abord, la poêle remise à feu doux, rapidement, on incorpore plus ou moins de lait, selon qu'on veut une sauce épaisse ou légère. Il faut tourner continuellement le mélange de manière à éviter la formation de grumeaux. C'est une base pour de nombreuses autres sauces et on peut lui ajouter, selon les recettes, et sa fantaisie, de l'estragon, du cerfeuil, des champignons frits, des œufs cuits durs hachés, des huîtres, du fromage râpé, etc.

SAUCE VINAIGRETTE DE BASE
(pour ½ tasse)

½ à 2 c. à soupe de vinaigre de vin blanc
⅛ de c. à thé (à café) de sel
¼ de c. à thé (à café) de moutarde sèche
6 c. à soupe d'huile d'olive
Poivre et herbes au goût
(basilic, ciboulette, estragon, livèche, persil)

Placer tous les ingrédients dans un pot, bien boucher celui-ci et brasser vigoureusement pendant 30 secondes.

SAUCE VINAIGRETTE AUX FINES HERBES

3 parties d'huile d'olive pour
1 partie de vinaigre de vin blanc
Câpres, hachées
Cerfeuil, ciboulette, estragon et persil, hachés
Sel et poivre au goût

Procéder comme pour la recette précédente. Un truc excellent pour rendre une laitue croustillante consiste à casser celle-ci puis à en laver et bien essorer les feuilles. On place ensuite celles-ci dans un plat au fond duquel on a mis des cubes de glace puis qu'on ferme et place au réfrigérateur. Au bout d'une heure ou deux, les feuilles sont croquantes et il ne suffit alors que de les essorer de nouveau juste avant de les servir en salade.

SEL DE FINES HERBES

250 ml (1 tasse) de sel de mer fin
125 ml (½ tasse) de persil séché
125 ml (½ tasse) de livèche (ou feuilles de céleri) séchée(s)
65 ml (¼ de tasse) de sarriette séchée
65 ml (¼ de tasse) d'estragon séché
2 c. à soupe de thym séché
1 c. à soupe de sauge séchée
Autres herbes au goût (calculer le sel en conséquence)

Mélanger longuement le sel et les herbes pulvérisées (comme, par exemple, dans un moulin à café). On peut toujours s'inspirer dans la composition de ce sel des formules de sels d'herbes vendus dans le commerce.

TRUITES AUX FINES HERBES
(4 personnes)

4 truites
2 oignons, coupés en quartiers
1 bouquet garni
Vin blanc sec
125 ml (½ tasse) de cerfeuil frais, haché
Cerfeuil haché en surplus
Beurre
2 citrons (en quartiers)

Préparer un court-bouillon avec les oignons et le bouquet garni. Mijoter 1 heure environ puis ajouter le vin blanc et le cerfeuil puis les truites. Cuire le poisson à bonne ébullition pendant 10 minutes puis le retirer, égoutter et placer dans un plat en pyrex légèrement beurré. Parsemer les truites de noisettes de beurre, de cerfeuil, sel et poivre au goût. Passer au four, à 175 °C (350 °F) une dizaine de minutes et servir aussitôt.

Index

INDEX DES NOMS DE PLANTES

INDEX DES RECETTES

INDEX DES RECETTES MÉDICINALES ET COSMÉTIQUES

Bibliographie

Boisvert, C. et Hubert, A., *Herbes et épices,* Albin Michel, 1977.

Camporesi, P., *La chair impassible,* Flammarion, 1986.

Child, Julia (et autres auteures), *Mastering the Art of French Cooking,* Alfred A. Knopf, New York, 1971.

Colombani, M.-J. et Bourrec J.-R., *Le livre de l'amateur de parfum,* Ed. Briand-Laffont, 1986.

Darnton, Robert, *Le grand massacre des chats, attitudes et croyances dans l'ancienne France,* Laffont, 1985.

Ferran, Pierre, *Le livre des herbes étrangleuses, vénéneuses, hallucinogènes, carnivores et maléfiques,* Marabout, 1969.

Hutchens, Alma R., *Indian Herbalogy of North America,* Merco, 1973.

Ketcham Wheaton, Barbara, *L'office et la bouche, Histoire des mœurs de la table en France, 1300-1789,* Calmann-Lévy, 1984.

Lagriffe, Louis, *Le livre des épices, condiments et aromates,* Marabout, 1968 (un classique, en particulier sur l'histoire de ces produits).

Larousse Gastronomique (version récente).

Lieutaghi, Pierre, *Le livre des bonnes herbes,* Marabout, 1968, (une très bonne introduction à l'étude des herbes médicinales).

Marie-Victorin, Frère, *La flore laurentienne,* Presses de l'Université de Montréal, 1964 (la «Bible» botanique du Québec).

Paradissis, Chrissa, *Le meilleur livre de cuisine grecque,* Efstathiadis Frères, Athènes, 1972.

Pelikan, Wilhelm, *L'homme et les plantes médicinales,* Triades, 1975.

Prenis, John, *Herb Grower's Guide,* Running Press, Philadephie, 1974.

Simon, André L., *A Concise Encyclopedia of Gastronomy,* Overload Press, New York, 1981 (un trésor de recettes de la gastronomie française).

Stuart, Malcolm, *Encyclopédie des herbes,* Ed. Atlas, 1981.

Süskind, Patrick, *Le parfum, Histoire d'un meurtrier,* Fayard, 1986 (un roman fantastico-documentaire traitant de la fabrication des parfums).

Trouard-Riolle, Y., *Les plantes médicinales,* Flammarion, 1964.

Valnet, Jean, *Aromathérapie* (1 tome), *Phytothérapie* (2 tomes) et *Traitement des maladies par les légumes, les fruits et les céréales* (1 tome) (une étude magistrale de la plupart des produits végétaux alimentaires et médicinaux), Éditions Maloine, 1972 et 1975.

Vigarello, Georges, *Le propre et le sale, L'hygiène du corps depuis le Moyen Age,* Ed. du Seuil, 1985 (étude excellente sur le sujet décrit). http://www.seuil.com/livre-9782020094528.htm

Notes

Notes